LAS RATAS

Si alguno quiere ser el primero, que sea el último de todos y el servidor de todos. Y tomando un niño lo puso en medio de ellos ...

(Marcos ix, 35-38)

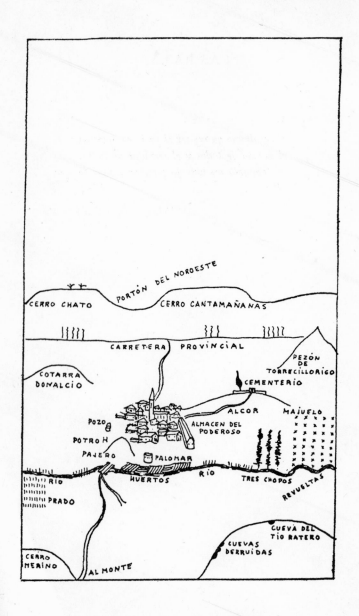

MIGUEL DELIBES

LAS RATAS

Edited by
LEO HICKEY, M.A., Ll.B.,
Lic. en Fil. y Letras, Dr. en Fil. y Letras,
Barrister-at-Law

Lecturer in Spanish
University of Salford

GEORGE G. HARRAP & CO. LTD.
London Toronto Wellington Sydney

First published in Great Britain 1969
by GEORGE G. HARRAP & CO. LTD
182, High Holborn, London, W.C.1

First published in the Spanish language by EDICIONES DESTINO *in* 1962

This edition with Introduction, Notes and Vocabulary
© George G. Harrap & Co. Ltd. 1969

SBN 245 59882 0

Printed in Great Britain by
Alden & Mowbray Ltd
at the Alden Press, Oxford

CONTENTS

INTRODUCTION

The author of *Las ratas* is a social novelist in the sense that his writings treat directly with the conflict between society and the individual. Miguel Delibes is interested primarily, not in reforming society as such, but in the other angle of the problem: the fate of the individual in modern society, especially of the individual who suffers because of his relations with his social environment. In a broader sense, he is also deeply concerned with the effect on the individual of all external factors: political, geographical, religious. More than a novelist, Miguel Delibes is a sensitive man who feels for and with his fellow men, especially with the people of Old Castile, of his native Valladolid, where he was born in 1920 and has lived and worked practically all his life. Most of the characters in his novels have their counterpart in real life, because their author, as well as being a novelist, is also a journalist, a man who observes and notes. The rat-catcher of *Las ratas* is closely related to a man in the town of Cuéllar in the province of Segovia who lives by catching and eating water-rats, and el Nini has many characteristics of the author's eldest son, Miguel.

In more concrete terms, some of the aspects of the social problem with which Miguel Delibes deals in his nine novels and in his countless newspaper articles are the tremendous distinction between the rich and the poor, the low salaries earned by public servants and indeed by all the working class, the uneven distribution of the land, class distinction, agricultural reform, old age, education and poverty in all its forms and with all its consequences. But towering above these important subjects which appear in so much of his writing is the question of the vocation of the individual, which he conceives very often as being obstructed by society. What he understands by vocation, *camino*, is not merely the profession one is to follow, but also one's intimate personality and essential individuality. And society is seen as a compendium of all that militates against the individual's personal happiness, for it tends to make him deviate from his way.

Before going further in a consideration of this point, it must be remembered that personal happiness is very much to the forefront of this writer's subject-matter. In a way, most authors deal with the happiness of their protagonists, but in the characters of Delibes this basic concern becomes a conscious struggle, usually waged against strong external or internal forces, formulated in words and carried on by deliberate decisions and actions. Generally speaking, his characters are unhappy, sad, unfortunate people, setting out in one way or another to seek happiness, and seldom finding it. He suggests in all cases that the way to reach an acceptable position is to expect little from life, which is hard and cruel; one must not be very ambitious, but rather enjoy whatever little one has. This attitude is personified in the *extremeños*, who are presented in *Las ratas* as examples of hard work, resignation to one's lot and family duty. Their author quite obviously likes them precisely because they ask for little, their sights are low as regards material goods and they are stoics.

On a slightly different level, personal happiness is regarded as the direct consequence of finding and following one's vocation, one's way, however humble that may be, and not in trying to be greater than one is, trying to progress. Indeed to a great extent *Las ratas* is a variation on this theme, or these themes, developed in *El camino*, and both novels should if possible be read in conjunction with one another. The 'way' which is at issue in *Las ratas* is the desire and right of each individual to live his own life where he wants, doing what he wants, unhindered by outside forces, provided he does not interfere with others. The cave here is only a symbol, of course; the author does not suggest that people should live in caves. But he does imply that if the rat-catcher wants to live there he should be allowed to do so. The forces set up against him—represented by the Civil Governor and the village mayor—are not sincere; their motives are deceitful and selfish, they have no concern for the welfare of their victim; and even if they had, the individual should still have priority to look after himself in his own way.

Throughout the works of Miguel Delibes society is constantly associated with certain other concepts: civilization, ambition, progress and cities are all enemies of the person. Daniel, the protagonist of *El camino*, weeps at the end of that book because his father's all-consuming ambition has forced him to leave the little valley where he was so happy, in order to go away and be educated against his will. He was never intended to become a great professional man,—at school he is average, neither more nor less,—and yet his father is determined that he shall 'progress', cost what it may. Delibes believes that the criterion for deciding whether a child should be given a secondary or university education should be, not the ambition or the means of the parents, but the ability of the child. In an article entitled "Mal de letras" (in *El Norte de Castilla*, 10th January, 1957) he wrote:

> "A uno le cuesta digerir las cuestiones económico-sociales, mas no se le alcanza porque todos los padres de España en cuanto tienen un hijo lo primero que piensan es en la carrera que han de darle."

And in another, headed "Partir de cero" (in *El Norte de Castilla*, 15th March, 1964) he says:

> "A estas alturas es un elemental principio de justicia el que cada hombre parta de cero y se realice conforme a sus posibilidades intelectuales sin trabas ni cortapisas."

It will be remembered, of course, that Delibes writes in Spain, where the social and educational systems are very different from those of this country where many of the reforms which he advocates are already in operation. The tragedy is accentuated in *Las ratas* by the irony of the fact that doña Resu tries to persuade el Nini—who clearly has the ability to be a great scientist or engineer—to accept an education; yet she is such an obnoxious person that on this one occasion when she tries to do good, in something which the boy cannot do without outside help, she is incapable of putting the idea across acceptably. El Nini deserves to be educated, but society fails him, not by ignoring him completely, but by not insisting properly or sufficiently on his education.

The society-individual antithesis is further symbolized by the contrast between the city and the country. This is a recurrent undertone in the novels of Delibes, beginning with *La sombra del ciprés es alargada*, which won the Nadal Prize for 1947. In that novel Pedro, the narrator, shows a clear preference for "esta soledad sin ruidos monótonos de civilización" and "la leve paz de la Naturaleza". In *El camino* the contrast is clearly established between the "ruido y velocidad que la civilización enviaba" and "la inmovibilidad y el silencio de la Naturaleza", and the association of the city and progress in the worst sense of the term is made clear in the person of Ramón on the very first page. And el Nini's expression for lack of interest in something is: "Eso es inventado." This contrast is further exemplified in *Las ratas* by the snobbery and boredom of Columba and her complete ignorance of the birds and animals all around her, which are a source of such varied beauty and authentic joy.

Apart from his personal concern for the less fortunate, this conception of progress and civilization as being enemies of personal happiness is another reason why the majority of Delibes' characters are what we might call inframen, that is to say primitive people, the very opposite of supermen or heroes, people who have few great virtues and whose main quality is simply what they share with everyone else, namely their common humanity in its lowest and most basic sense. In his Introduction to the first volume of his Complete Works, Miguel Delibes writes:

"Para mí la novela es el hombre, y el hombre en sus reacciones auténticas, espontáneas, sin mixtificar, no se da ya, a estas alturas de civilización, sino en el pueblo. Lo que llamamos civilización recata no poco de hipocresía."

That is also why he admires so much the simple way of life of the American menonites, which he describes and extols in his book *USA y yo*. For Delibes there is no 'mass man', there are only individuals, every one of whom is completely different from the others and of unique value in himself. The rat-catcher and el Nini are proof of this, for in any social scale who could be lower? They are constantly on the brink of starvation, almost outside the law, in perpetual fear of being overcome by the forces of civilized authority, and yet they struggle to keep going in their own way. Even when society coincides with them in certain aims, they prefer to look after themselves, as is seen in the interview between the mayor and the rat-catcher in chapter 16. And it is perhaps also significant that el Nini is the product of an incest, a social sin. However, in the end they lose their fight against the forces of civilization, and that is why *Las ratas* is a tragedy, and a representative one.

In this novel we see that society is not, however, merely an inert or innocent evil, but rather that it deliberately sets out to interfere with its members. When Justo the mayor asks the rat-catcher what he wants, and the latters says, quite sincerely, that he only wants to be left alone, the mayor becomes irritated. And the same happens on another level, in the scene between doña Resu and el Nini, in which the boy says, also quite sincerely, that he does not want to own a motor car or be an engineer, and she simply cannot understand this attitude. The author is openly against welfare if it destroys the individual's will and contradicts his natural desires.

And yet the reader must remember that Miguel Delibes is far from being considered a reactionary in his own context. He is writing in a country and about a social system which has its own characteristics and problems, and he must be read with those conditions in mind. He has often advocated increased State intervention in situations where capital and technical knowledge are required, especially to compensate for the unfavourable climatic conditions for agriculture in Castile. The plight of the poor farmer at the mercy of drought and frost, hurricane winds and scorching sun, is a constant in his works. It runs through every chapter of *Las ratas*, and dominates the whole tone of the book. In many of his newspaper articles he clamours for direct aid from the Government for the farmers who suffer from the disastrous weather, and whose capital is usually insufficient to allow them install adequate irrigation systems or make up for what they lose in a bad year. And the final tragedy in *Las ratas* is caused directly by an individual who takes the law into his own hand to defend what he considers to be his right.

What Delibes deplores, then, is that society interferes in cases where the individual should be supreme and that it does not intervene in spheres where the individual is insufficient to look after himself. However, in order to supplement this moderate working system, he favours certain changes of attitude on the part of the public. First of all, the officials must be honest and sincere in their actions and motivations: as we have seen, neither Fito Solórzano nor Justo is above reproach on this point. Then the individual must not be selfish: we see how genuinely concerned el Nini is about the rain and the problems of all the villagers, although he himself will be largely unaffected by the weather and gains very little even when his help is responsible for saving a neighbour's crops. If Luis, the rat-catcher from Torrecillórigo, does not actually deserve to be killed, he is certainly guilty of showing a complete lack of concern for others. Some people are also quite unjust in paying for services performed for them by el Nini, Pruden and Columba, for instance. Thirdly, we observe a certain glow of happiness and good cheer whenever the villagers get together to cooperate in some venture, whether it be killing a pig, carting away straw, praying or simply drinking in the village bar. And finally we notice a suggestion that everyone should take certain measures of common prudence, if possible, to protect his interests, represented by the fact that none of the farmers has an insurance policy against disasters to the crops. All of these attitudes ought to be corrected before State intervention in private lives should be tolerated.

The rat-catcher's notion of ownership—"Las ratas son mías, la cueva es mía, el Nini es mío"—is too primitive and absolute, while on the other hand the official lack of understanding of individual tastes or rights is too impersonal. The opposing forces are bound to clash, and the result must be tragic. Society will never understand the poor man's motives for killing his supposed rival; and the novel suggests that although he is not right in this case, he at least deserves our sympathy as an individual.

Not all in *Las ratas*, however, is an account of the struggle between society and the individual. The main theme which runs through all the chapters is life in a miserable Castilian village, where the soil is poor and yields little, where a capricious climate threatens all through the year to destroy every leaf, and from time to time fulfils its threat, where fifteen-sixteenths of the land, such as it is, is owned by three persons and whatever little is left is divided up between all the others. Life is austere and cheerless at best, and at its worst, when adverse weather ruins the crops, starvation in its most literal sense is not far away. For the odd person migration may be a solution, but the majority have nowhere to go and no ability to adapt to any new kind of life. And even apart from the climate, when for some unknown reason the water-rats are scarce, hunger is the immediate result for more than one.

This is therefore a grave book, which takes the reader down into the most basic aspects of human life, where the rats are scarcely worse off than their hunters, and birds of prey hover continually in the sky ready to dispute a lizard with a human rival, whose meal may consist of nothing more than that. Animals, birds and men all merge on this level in a common struggle to eat and stay alive. The primitivism of the Viejo Rabino reaches such a degree that he even shows several anatomical characteristics more proper to animals than to humans, and man's inhumanity and intolerance to man, as seen in his death, matches that of any wild animal. It is scarcely surprising that, when faced with some humans, el Nini takes comfort in stroking his dog.

Certainly the men depend directly and immediately on the incomprehensible laws of nature, and nature is a force more real to them—though not less mysterious—than the God they worship with a sincere if uninformed faith mingled with uninhibited superstition. The contrast between don Zósimo, the old, preconciliar, parish priest and the young don Ciro who represents a modern approach to Christianity and to social justice, is a clear account of what the author understands by religion in his age and of what he expects from its ministers. This attitude to religion and justice in a postconciliar era is the central theme of *Cinco horas con Mario*, published in 1966, but the same attitudes are already sketched here in *Las ratas*, which appeared in 1962.

Miguel Delibes is neither by nature nor by experience an optimist, although this does not mean that he lacks a sense of humour. In the present novel this feature is seen almost exclusively in the various anecdotes relating to village life, which offer some light relief from the seriousness of the subject-matter in general and the more tragic or pathetic situations. But even in those works where humour is a more fully integrated element, *Diario de un cazador* and *Diario de un emigrante* for example, there is still no doubt but that the author tends to see and feel the suffering and sadness of those around him rather than their elation. He regards the novel as a means of helping the world, and especially his own corner of it, to be a better place, and he tries to achieve this by pointing out to all, the difficulties which some have to face and the means they have at their disposal to do so. When asked some years ago: "¿Cuál, a su juicio, es la misión principal del escritor dentro de la sociedad que le rodea?" he answered:

"Una actitud crítica con ánimo de perfeccionarla (de perfeccionar la sociedad, se entiende)." And the interview continued: "¿Puede el escritor ayudar al hombre? ¿Cómo? — Denunciando, por un lado, cuanto en su derredor encuentre de injusto y arbitrario y desarrollando, por otro, el espíritu de comprensión." ("El escritor y su espejo" in *ABC*, 11. XI. 1965.)

Now, of course, as H. G. Wells said, the novel must never be used as a pulpit or platform simply to put forward views or defend attitudes—that may be the proper function of the essay, treatise or newspaper article—and therefore if we say that Miguel Delibes tries to improve society, are we accusing him of some crime against the literary form he has chosen? No; we may say that, with the possible exception of *Mi idolatrado hijo Sisí*, he has written no thesis novels; his situations and characters are in themselves plausible and justifiable, they are not just inventions put there to prove or explain a point. To avoid using a novel as a platform, an author must first write a story which is convincing as a story, giving the impression of being possible, and then, just as with any situation or event in real life, certain ideas, defects, virtues or even morals may become apparent to the discerning reader. To what extent any given novelist, and in our case the author of *Las ratas*, achieves this first objective, and convinces the reader primarily while only secondarily, and as it were accidentally, showing him social, political or religious defects, will to some degree depend on the effect caused in each reader or critic. But it can at least be said that *Las ratas* is first of all a realistic story of life in a wretched Castilian village, that all the characters are possible, that their motivation and way of life may well be true; the reader has little difficulty in leaving his ordinary objective world to pass with the author into the world of el Nini, Justo and Pruden, sharing their fears and worries, hopes and joys.

Let us now mention briefly some of the methods used to achieve this identification of the reader with the characters and situations in the novel.

Miguel Delibes is a realist, that is to say he sets out in his novels to copy objective, external, reality faithfully and in detail. The setting is very important for him, because the relationship between the people and their background is never merely accidental; hence many meticulous descriptions of the village in the sunlight, the fields after a storm, morning frost, killing the pig, plant and animal life. But we notice a certain effort as if to restrain these descriptions, to ensure that they do not become mere aesthetic exercises. Some of them are delicately beautiful, for instance the scene on which the Nini looks while eating his soup in the very first chapter, but even here we find this reserve, shown sometimes by the brevity of the description itself and by a certain preponderance of nouns and verbs over adjectives and adverbs. It is a harsh and cruel countryside, and the author is loth to become poetic about it, but even when he merely lists what is to be seen, the beauty of the reality itself and the exactness of the vocabulary used carries the reader into what is described. Few bright colours appear, for the simple reason that few such tones ever break the monotony of the sun-scorched earthen brown of Old Castile.

The impression of fidelity to the reality of what is being described or narrated is further strengthened by the balance established between the popular or even vulgar language in which the villagers speak, and the merely colloquial language in which the events are narrated. This is no cultured novelist writing from a distance about a primitive community; here the village presents itself in its own language, giving its own names to the things it sees and uses, dividing its year according to the calendar of the saints' feast-days, giving its inhabitants appropriate nicknames, using the familiar, somewhat affectionate, definite article before christian names, describing the many agricultural tasks which have to be performed. No allowances are made for hypercultured readers, they must either fit in or else lose the full effect of what is being narrated. Of course, in many cases this language becomes quite technical and an outsider is not expected to understand. For example he is not supposed to grasp the full significance which the feast-days hold for the locals, or the meaning of the terms used by old Abundio when teaching el Nini to prune vines. But although an average Spanish reader will not understand all the terms used or care on what dates the feast-days fall, at least he knows and feels that here is an honourable man, proud of his trade, however humble it may seem, and happy to be able to pass it on to an intelligent grandson, and that a mere date is something colder and barer than a saint's name in a village dependent for survival on a coincidence of climatic conditions and plant life. And those are the things that matter here. In other words, no concession is made to the snobbish ignorance of any cultured reader learned solely in city ways and dictionary lore, just as don Domingo the engineer enjoys no special esteem among the less fortunate villagers. When these speak, they do so in their own normal language, supplemented, as is every dialogue, by gestures, facial expression, intonation and pauses, which may in many cases convey more than the actual words transcribed. We may, then, suggest that there are three main registers, or kinds of vocabulary, and three corresponding levels of style, in *Las ratas*: the colloquial language of the novelist when describing or narrating objectively, the popular or vulgar language of the villagers in normal conversation, and the specialized speech which emphasizes certain important or particularly relevant interests, such as agriculture, birds and the weather.

Throughout the novel there is a sprinkling of local anecdotes and stories or gossip. Here the raconteur is at work, telling his audience of the intelligence test given in the city to one of the locals, or the attempts of a weak-minded woman to mend a stool, or the priest in Confession. These anecdotes seldom owe their interest to their originality—indeed few of them ever are original—but rather to the way in which they are told and their relevance to the tone and atmosphere of the circumstances in which the village story-teller narrates them.

But to all these stylistic resources must be added the novelist's expert use of the more usual literary devices: metaphors and similes, choice and placing of adjectives and adverbs, the exactness of the term used, especially when dealing with birds, animals or plants, diminutives and augmentatives, the use of symbolism and synonyms, and the sophisticated contrapuntal method—to borrow the musical terms—of having an action or relationship going on in one key among humans while a complementary action or relationship is being played out on a lower key by animals. The discerning reader will no doubt observe many examples of these devices as he reads the novel, and he will judge for himself in each case whether the device is well chosen and what is its effect. He will also notice a certain element of naturalism, in the stress placed at times on the baser aspects of man, in such incidents as José Luis's disagreement with the donkey or the Viejo Rabino's anatomy and habits. A certain tone of *tremendismo* also will be noted perhaps in the falling open of Iluminada's coffin, in the sight of the Centenario's face when he removes the cloth, and indeed most clearly of all in the final brutal killing of man and dog after a particularly irrational and inhuman fight.

Las ratas may be considered as a very interesting stylistic achievement. The subject-matter is consistently rather grave and gloomy, the characters are somewhat tragic and full of a heavy kind of life, the situations are extreme; and yet the lightness and simplicity of the style, with many anecdotes, interlude incidents and restrained, almost poetic, descriptions, carries them through in such a graceful way that the reader feels no burden or tenseness until he comes to the final scene. Only then does the whole seriousness of all that has gone before strike him with its full force. The balance between gravity and lightness is probably a key to the success of the book.

Broadly speaking, there are two ways of approaching any novel. One is to have in mind some specific points to look for *a priori*; the other is to have no preconceived ideas but only to judge each element as it comes along, and relate it to the whole. The only purpose of this brief Introduction has been to help English readers in their choice of what to observe as they read a book which, after all, introduces situations and characters with which they may not be familiar. But it is in no way intended as a substitute for an exercise of personal judgment and discerning criticism, without which to read *Las ratas* would be to miss an excellent opportunity of broadening one's insight into reality and deepening one's knowledge and understanding of one's fellow men.

BIOGRAPHICAL NOTE

Miguel Delibes was born in Valladolid in 1920. When the Spanish civil war ended in 1939, he began to study Law and Commerce and graduated in both of these. His first job was as a bank clerk, which he left after six months to take a course in journalism and later to join the staff of the second oldest newspaper in Spain, the *Norte de Castilla* in which he had previously published caricatures and cartoons. In 1945 he obtained the chair of Mercantile Law in the School of Commerce in Valladolid, a chair which he exchanged later for that of the History of Culture. In 1958 he became Editor of the *Norte de Castilla,* a post from which he officially resigned in 1962. His literary career began in 1947 when he won the Nadal Prize for his first novel, *La sombra del ciprés es alargada.*

THE WORKS OF MIGUEL DELIBES

Novels:

La sombra del ciprés es alargada. Barcelona. Destino (1948).
Aún es de día. Barcelona. Destino (1949).
El camino. Barcelona. Destino (1950).
Mi idolatrado hijo Sisí. Barcelona. Destino (1953).
Diario de un cazador. Barcelona. Destino (1955).
Diario de un emigrante. Barcelona. Destino (1958).
La hoja roja. Barcelona. Destino (1959).
Las ratas. Barcelona. Destino (1962).
Cinco horas con Mario. Barcelona. Destino (1966).

Other volumes:

La partida. Barcelona. Luis de Caralt (1954).
Un novelista descubre América: Chile en el ojo ajeno. Madrid.
   Editora Nacional (1956).
Siestas con viento sur. Barcelona. Destino (1957).
Por esos mundos. Barcelona. Destino (1961).
Europa, parada y fonda. Madrid. Cid (1963).
El libro de la caza menor, Barcelona. Destino (1964).
USA y yo. Barcelona. Destino (1966).
Vivir al día. Barcelona. Destino (1968).
La primavera de Praga. Madrid. Alianza (1968).
Obras completas. Barcelona. Destino, 3 vols. (1964, 1966, 1968).
Miguel Delibes y Oriol Maspons: La caza de la perdiz roja. Barcelona.
   Lumen (1962).
Miguel Delibes y Jaume Plá: Castilla. Barcelona. Rosa Vera (1960).
Miguel Delibes y Ramón Masats: Viejas historias de Castilla la Vieja.
   Barcelona. Lumen (1964).

SELECT BIBLIOGRAPHY AND
LITERARY CRITICISM

ALBORG, JUAN LUIS: *Hora actual de la novela española.* Madrid.
   Taurus Vol. I. (1958) pp. 153–165.

ALVAREZ, CARLOS LUIS: "Las ratas" in *Blanco y negro* (21st April, 1962).

CHICOTE, JOSÉ RAMÓN: "Lo que más admiro: la tolerancia y la lealtad" in *Arriba* (5th April, 1964).

DOMENECH, RICARDO: "Las ratas, de Miguel Delibes" in *Triunfo* (18th August, 1962).

FERNÁNDEZ ALMAGRO, M.: "Las ratas" in *ABC* (22nd February, 1963).

GARCÍA VIÑÓ, MANUEL: *Novela española actual.* Madrid. Guadarrama (1967) pp. 19–46.

HICKEY, LEO: "Miguel Delibes and the Cult of the Inframan" in *New Vida Hispánica*, no. 2 (1965) pp. 23–27.

HICKEY, LEO: *Cinco horas con Miguel Delibes, el hombre y el novelista.* Madrid. Prensa Española (1968).

JOHNSON, ERNEST A., Jr.: "Miguel Delibes, '*El camino*'—a Way of Life" in *Hispania*, XLVI, no. 4 (December, 1963).

MORA, JESÚS: "Las ratas, un relato sobre Castilla y sus problemas" in *Madrid* (9th August, 1962).

PERMANYER, LUIS: "Presenta a Miguel Delibes" in *Destino* 1394 (25th April, 1964).

POLACK, PHILIP: Introduction to *El camino.* London. Harrap (1963).

RODRÍGUEZ ALCALDE, LEOPOLDO: "Las ratas, de Miguel Delibes" in *El Alcázar* (22nd June, 1962).

SAMPEDRO, JOSÉ LUIS: "Las ratas" in *Revista de Occidente*, no. 6 (September, 1963).

SANTOS, DÁMASO: "Miguel Delibes: Las ratas" in *Pueblo* (24th May, 1962).

SASTRE, LUIS: "El Nini, las ratas y el hombre" in *La Estafeta Literaria* (15th May, 1962).

UMBRAL, FRANCISCO: "Las ratas" in *Punta Europa* 74 (June, 1962) pp. 117–118.

UMBRAL, FRANCISCO: "Miguel Delibes en la novela tradicional" in *Punta Europa* 57–58 (September-October, 1960) pp. 29–35.

VALENCIA, ANTONIO: "Sociología, tremendismo, estilo" in *Arriba* (4th June, 1964).

VILANOVA, ANTONIO: "Las ratas de Miguel Delibes" in *Destino* 1299 (30th June, 1962) and 1342 (27th April, 1963).

VÁZQUEZ ZAMORA, RAFAEL: "Las ratas" in *Destino* 1293 (19th May, 1962).

"26 preguntas para Miguel Delibes" in *Libros y Discos*, no. 2 (September, 1962) p. 6.

LAS RATAS

NOTE

An asterisk in the text indicates that a word or phase so marked is dealt with in the Notes beginning on p. 135

ANIMA
45

Poco después de amanecer, el Nini se asomó a la boca de la cueva y contempló la nube de cuervos reunidos en consejo. Los tres chopos desmochados de la ribera, cubiertos de pajarracos, parecían tres paraguas cerrados con las puntas hacia el cielo. Las tierras bajas de Don Antero, el Poderoso, negreaban en la distancia como una extensa tizonera.

La perra se enredó en las piernas del niño y él le acarició el lomo a contrapelo, con el sucio pie desnudo, sin mirarla; luego bostezó, estiró los brazos y levantó los ojos al lejano cielo arrasado:

—El tiempo se pone de helada,* Fa. El domingo iremos a cazar ratas — dijo.

La perra agitó nerviosamente el rabo cercenado y fijó en el niño sus vivaces pupilas amarillentas. Los párpados de la perra estaban hinchados y sin pelo; los perros de su condición rara vez llegaban a adultos conservando los ojos; solían dejarlos entre la maleza del arroyo, acribillados por los abrojos, los zaragüelles y la corregüela.

El tío Ratero rebulló dentro, en las pajas, y la perra, al oírle, ladró dos veces y, entonces, el bando de cuervos se alzó perezosamente del suelo en un vuelo reposado y profundo, acompasado por una algarabía de graznidos siniestros. Únicamente un grajo permaneció inmóvil sobre los pardos terrones y el niño, al divisarle, corrió hacia él, zigzagueando por los surcos pesados de humedad, esquivando el acoso de la perra que ladraba a su lado. Al levantar la ballesta para liberar el cadáver del pájaro, el Nini observó la espiga de avena intacta y, entonces, la desbarató entre sus pequeños, nerviosos dedos, y los granos se desparramaron sobre la tierra.

Dijo, elevando la voz sobre los graznidos de los cuervos que aleteaban pesadamente muy altos, por encima de su cabeza:

—No llegó a probarla, Fa; no ha comido ni siquiera un grano.

La cueva, a mitad del teso, flanqueada por las cárcavas que socavaban en la ladera las escorrentías de primavera, semejaba una gran

25

boca bostezando. A la vuelta del cerro se hallaban las ruinas de las tres cuevas que Justito, el Alcalde, volara* con dinamita dos años atrás. Justo Fadrique, el Alcalde, aspiraba a que* todos en el pueblo vivieran en casas, como señores. Al tío Ratero le atosigaba:

—Te doy una casa por veinte duros y tú que nones.* ¿Qué es lo que quieres, entonces?

El Ratero mostraba sus dientes podridos en una sonrisa ambigua, entre estúpida y socarrona:

—Nada — decía.

Justito, el Alcalde, se irritaba y, en esos casos, la roncha morada de la frente se reducía a ojos vistas, como una cosa viva:

—¿Es que* no te da la gana entenderme? Quiero acabar con las cuevas. Se lo he prometido así al señor Gobernador.

El Ratero encogía una y otra vez sus hombros fornidos, mas luego, en la taberna, Malvino le decía:

—Ándate al quite con el Justito. El tipo ése es de cuidado, ya ves.* Peor que las ratas.

El Ratero, derrumbado sobre las mesa, le enfocaba implacable sus rudos ojos huidizos:

—Las ratas son buenas — decía.

Malvino fue Balbino en tiempos, pero sus convecinos le decían* Malvino porque con dos copas en el cuerpo se ponía imposible. Su taberna era angosta, sórdida, con el suelo de cemento y media docena de mesas de tablas, con bancos corridos a los costados. Al regresar del arroyo, el Ratero se recogía allí y se merendaba un par de ratas fritas rociadas de vinagre, con dos vasos de clarete y media hogaza. El resto del morral se lo quedaba el Malvino, a dos pesetas la rata. El tabernero solía sentarse junto a él mientras comía:

—Cuando los hombres no están contentos con lo que tienen arman un trepe,* ¿eh, Ratero?

—Eso.

Y si están contentos con lo que tienen nunca falta un tunante que se empeña en darles más y arma el trepe por ellos. Total que siempre hay función,* ¿eh, Ratero?

—Eso.

—Mira tú que andas a gusto en tu cueva y no te metes con nadie. Bueno, pues el Justito dale con que te vayas a esa casa cuando más de seis y más de siete se matarían por ella.*

—Eso.

La señora Clo, la del Estanco,* afirmaba que el Malvino era el Ángel Malo del tío Ratero, pero el Malvino replicaba que se limitaba a ser su conciencia.

El tío Ratero, desde la boca de la cueva, vio ascender al Nini por la falda del teso, con el cuervo en una mano y el cepo en la otra. La perra se adelantó al descubrir al hombre y brincó una y otra vez sobre él, tratando de lamerle la tosca mano de dedos todos iguales, como tajados a guillotina. Mas el hombre, cada vez, la oprimía* distraídamente el hocico y el animal gruñía entre furioso y retozón.

Dijo el niño mostrándole el grajo:

—El Pruden me lo encargó; los cuervos no le dejan parar los sembrados.

El Pruden siempre madrugaba y anticipándose a la última semana de lluvias hizo la sementera. El Pruden, en puridad, era Acisclo por bautismo, pero se quedó con Pruden, o Prudencio, por lo juicioso y previsor.* En mayo araba los barbechos y, de este modo, llegado noviembre, ya tenía dada vuelta* a la tierra. Al concluir el verano, poco antes de que la hoja amarilleara, desmochaba los tres chopos escuálidos de la ribera y guardaba la hoja empacada para alimentar las cabras durante el invierno. Al Nini, el chiquillo, le traía de cabeza: "Nini rapaz, ¿viene agua o no viene agua?" "Nini, rapaz, ¿traerá piedra esa nube o no traerá piedra?" "Nini, rapaz, la noche anda muy queda y el cielo raso, ¿no amagará* la helada negra?"

Dos tardes atrás, el Pruden se acercó al niño como de casualidad:

—Nini, hijo — le dijo en tono plañidero —, los cuervos no me dejan quietos los sembrados; escarban la tierra y se llevan la simiente. ¿Cómo me las arreglaré para ahuyentarlos?*

El Nini recordó al abuelo Román, que para espantar los pájaros de los sembrados colgaba boca abajo un cuervo muerto. Las aves huían del lúgubre espectáculo; del inmóvil, atrabiliario luto de la tierra por florecer.

—Déjalo de mi mano* — le dijo el niño.

Ahora, el Nini, mientras devoraba las sopas de pan a la puerta de la cueva, contempló el grajo despeluzado, las plumas rígidas, aceradas, reposando sobre un tomillo. La perra, agazapada junto a él, le observaba fijamente y si el niño rehuía su atención, el animal le golpeaba insistentemente el antebrazo con la pezuña delantera. Tras la perra, bajo el teso, se abría el mundo; un mundo que la Columba, la mujer del Justito, juzgaba inhóspito tal vez porque le ignoraba. Un mundo de surcos pardos, simétricos, alucinantes. Los surcos del otoño, desguarnecidos, formaban un mar de cieno tan sólo quebrado por la escueta línea del arroyo, del otro lado del cual se alzaba el pueblo. El pueblo era también pardo, como una excrecencia de la propia tierra, y de no ser por* los huecos de luz y las sombras que tendía el sol naciente, casi las únicas en la desolada perspectiva, hubiera pasado inadvertido.

A cosa de un kilómetro, paralela al riachuelo, blanqueaba* la carretera provincial, hollada tan sólo por las caballerías, el Fordson de don Antero, el Poderoso, y el coche de línea que enlazaba la ciudad con los pueblecitos de la cuenca. Una cadena de tesos mondos como calaveras coronados por media docena de almendros raquíticos cerraba el horizonte por este lado. Bajo el sol, el yeso cristalizado de las laderas rebrillaba intermitentemente con unos guiños versicolores, como pretendiendo transmitir un mensaje indescifrable a los habitantes de los bajos.

El otoño avanzado estrangulaba toda manifestación vegetal; apenas el prado y la junquera, junto al cauce, infundían al agónico panorama un rastro de vida. Una gama uniforme de suaves transiciones, enlazaba los tonos grises, cárdenos y ocres. Únicamente encima de la cueva, en el páramo, el monte de encina del común prestaba un seguro refugio a los pájaros y las alimañas.

El niño, con el grajo en la mano, corrió cárcava abajo seguido de la perra. En el último tramo de la pendiente, el Nini levantó los brazos como si planeara sobre el camino. Aún no calentaba el sol y las chimeneas alentaban lánguidamente un humo blanquecino y el áspero aroma de la paja quemada se cernía sobre el pueblo como un incienso pegajoso. El niño y la perra franquearon el rústico puentecillo de tablas y entraron en la Era. Junto al Pajero se alzaba el Palomar del Justito, y el niño, al cruzar frente a él, palmeó fuerte dos veces y el bando de palomas se arrancó alborotadamente con un ruido frenético de ropa sacudida. La perra ladró inútil, jubilosamente, mas la irrupción del Moro, el perro del Rabino Grande, el pastor, la distrajo de inmediato. El bando de palomas describió un amplio semicírculo por detrás del campanario y tornó al palomar.

El Pruden asomó por la trasera abotonándose los pantalones.

—Toma — dijo el Nini alargándole el pájaro.

El Pruden sonrió evasivamente.

—¿Así que le atrapaste? — dijo. Tomó el grajo de la punta de un ala, como con recelo, y agregó —: Anda, pasa.

Contra la tapia del corral se apoyaban el arado herrumbroso y los aperos y el tosco carromato y sobre la cuadra se abría la gatera del pajar. El Pruden entró en la cuadra y la mula negra pateó el suelo, con impaciencia. Depositó el pájaro en el suelo, y mientras eliminaba los pajotes de los pesebres le dijo al Nini, sin volverse:

—Vaya un pico.* Así es que donde caen estos tunantes hacen más daños que un nublado. ¡La madre que los echó!*

Una vez limpios los pesebres, se encaramó ágilmente en el pajar y arrojó al suelo con la horca unas brazadas de paja. Después se descolgó, tomó la criba y cernió el tamo en rápidos movimientos de vaivén. Seguidamente repartió la paja entre los dos pesebres y la cubrió, luego, con un serillo de cebada. El niño le miraba hacer atentamente y cuando acabó de repartir el grano le dijo:

—Cuélgalo patas arriba; si no en lugar de ahuyentarlos hará de cimbel.

El Pruden se sacudió una mano con otra y agarró de nuevo el pájaro por la punta de un ala y penetró en la casa por la puerta de la cocina. El niño y la perra entraron tras él. La Sabina se revolvió furiosa al ver el cuervo.

—¿Dónde vas con esa basura? — dijo.

El Pruden no alteró su voz templada y paciente.

—Tú calla la boca* — dijo.

Y depositó el pájaro sobre la mesa. Después se arrimó al hogar y dio la vuelta a las mondas de patata que cocían a fuego lento. Al cabo las apartó, se sentó con el balde entre las piernas y espolvoreó el salvado de hoja sobre las mondas y comenzó a envolverlo pacientemente.

El niño agarró la puerta para marcharse y el Pruden, entonces, se incorporó y dijo:

—Aguarda.

Le siguió por el pasillo de rojas baldosas hurgándose en los bolsillos del pantalón y una vez en la calle le alargó una moneda de peseta. El Nini le miraba fijamente, con precoz gravedad, y el Pruden se des-

concertó, levantó los ojos al cielo, un cielo blanquecino, tímidamente
azul, y dijo:

—No lloverá más, ¿verdad, rapaz?

—Ha arrasado. El tiempo se pone de helada — respondió el niño.
Al regresar a la cocina, el Pruden analizó el grajo con concentrada
atención y después continuó envolviendo en silencio el pienso de las
gallinas. Al cabo de un rato levantó la cabeza y dijo:

—Digo que el Nini ése todo lo sabe.* Parece Dios.

La Sabina no respondió. En los momentos de buen humor solía
decir que viendo al Nini charlar con los hombres del pueblo la
recordaba a Jesús entre los doctores, pero si andaba de mal temple,
callaba y callar, en ella, era una forma de acusación.

2

El Nini siguió avanzando por la calleja solitaria, arrimado a las
casas para eludir el lodazal. Restregaba la moneda que portaba en la
mano contra los muros de adobe y al llegar a la primera esquina
examinó el brillo nacido en el borde con pueril fruición. El barrizal era allí más espeso, pero el niño lo atravesó sin vacilar, sumer-
giendo sus pies desnudos en el cieno entreverado de estiércol y
escíbalos caprinos, en la pestilente agua estancada de los relejes.
Cruzó el pueblo y antes de divisar los establos del Poderoso oyó la voz
caliente de Rabino Chico charlando con las vacas. El Rabino Chico
estaba al servicio del Poderoso y tenía fama de comprender el lenguaje
de los animales.

El Rabino Grande, el Pastor, y el Rabino Chico, el Vaquero del
Poderoso, eran hijos del Viejo Rabino, el que, al decir de don Eustasio
de la Piedra, el Profesor, era una prueba viva de que el hombre
provenía del mono. En efecto, el Viejo Rabino tenía dos vértebras
coxígeas de más, a la manera de un rabo truncado, y el cuerpo
cubierto de un vello negro y espeso, y cuando se cansaba de andar
sobre los pies podía hacerlo fácilmente sobre las manos. Por todo ello,
don Eustasio de la Piedra le invitó por San Quinciano, allá por el año
33,* a un Congreso Internacional, sin otra mira que demostrar ante
sus colegas que el hombre descendía del mono y que aún era posible

encontrar ejemplares a mitad de la evolución. Después de aquello, don Eustasio le llamaba a la capital* cada vez que recibía una visita de cumplido y le hacía desnudar y dar vueltas sobre las manos, muy despacito, encima de una mesa. Al principio, el Viejo Rabino sentía vergüenza, pero pronto se habituó e incluso permitía que don Eustasio, que era un sabio, le tentara las dos vértebras coxígeas sin inmutarse. A partir de entonces, cada vez que un forastero mostraba interés por su particularidad, el Viejo Rabino se soltaba la pretina y se la enseñaba.

Con estas relaciones el Viejo Rabino, al decir del Undécimo Mandamiento, se torció y dejó de frecuentar la iglesia. Don Zósimo, el Curón, que por entonces andaba de párroco* en el pueblo, le decía: "Rabino, ¿por qué no vienes a misa?" El Viejo Rabino se encampanaba y respondía: "No hay Dios. Mi abuelo era un mono. Don Eustasio lo dice." Y cuando estalló la guerra,* cinco muchachos de Torrecillórigo, capitaneados por el Baltasar, el del Quirico, se presentaron con los mosquetones prestos a la puerta de su casa. Era domingo y el Viejo Rabino apareció con su humilde traje de fiesta y sus zapatos apretados, y el Baltasar, el del Quirico, le empujó con el cañón del mosquetón y le dijo: "Ahora voy a enseñarte yo dónde deben pastar las cabras." El Viejo Rabino parpadeaba y sólo dijo: "¿Qué quieres?" Y el Baltsar, el del Quirico, dijo: "Que te vengas con nosotros." El Baltasar llevaba una cruz en el pecho y la Rabina miraba hacia ella como implorando, y luego miró para el Viejo Rabino, que, a su vez, se miraba los pies calzados con zapatos, y dijo humildemente: "Aguarda un momento." Al regresar de la alcoba vestía el traje de Pastor y calzaba las alpargatas de goma y dijo: "Hasta luego." Después le dijo al Baltasar: "Cuando quieras."*

Al día siguiente, el Antoliano encontró el cadáver en las Revueltas y cuando se presentó con él en la casa, al Rabino Chico, que apenas era un muchacho, aunque con dos vértebras coxígeas de más, se le cerró la boca y no había manera de hacerle comer. Don Ursinos, el médico de Torrecillórigo, dijo que el mal era nervioso y que le pasaría. Y cuando le pasó, el Rabino Chico se llegó donde don Zósimo, el Curón, y le dijo: "¿No es la cruz la señal del cristiano, señor Cura?" "Así es" — respondió el Curón. Y agregó el Rabino Chico: "¿Y no dijo Cristo: Amaos los unos a los otros?" "Así es" — respondió el Curón. El Rabino Chico cabeceó levemente. Dijo: "Entonces, ¿por qué ese hombre de la cruz ha matado a mi padre?" La desbordada humanidad de don Zósimo, el Curón, parecía reducirse ante el problema. Se ajustó automáticamente el bonete antes de hablar: "Escucha — dijo al fin —, mi primo Paco Merino era párroco de Roldana, en el otro lado,* hasta anteayer. ¿Y sabes cómo ha dejado de serlo?" "No" — dijo el Rabino Chico. "Pues atiende — añadió el Curón —: le amarraron a un poste, le cortaron la parte con una gillete y se la echaron a los gatos delante de él. ¿Qué te parece?"* El Rabino Chico cabeceaba, pero dijo: "Los otros no son cristianos, señor Cura." Don Zósimo entrelazó los dedos y dijo pacientemente: "Mira, Chico, cuando a dos hermanos, sean* cristianos o no, se les pone una venda en los ojos, pelean entre sí con más encarnizamiento que dos extraños." Y el Rabino Chico dijo por todo comentario: "¡Ah!".

Desde entonces empezó a rehuir a las gentes y a salir a los cuetos con el ganado hasta que don Antero, el Poderoso, le contrató de vaquero. Por contra, el Rabino gustaba de charlar con las vacas y, según decían, poseía el don de interpretar sus mugidos. Fuera como fuese,* él había demostrado ante los más escépticos lugareños que la vaca a quien se le habla tiernamente mientras se la ordeña daba media herrada más de leche que la que era ordeñada en silencio. En otra ocasión descubrió que la vaca que reposaba sobre una colchoneta rendía también más que si reposaba sobre la paja desnuda y ahora andaba en pintar de verde* los muros del establo porque presumía que de este modo aumentaría también el rendimiento.

El Nini divisó al Rabino Chico vuelto de espaldas y voceó:

—Buenos días, Rabino Chico.

El Rabino Chico se movía pesadamente como un hombre grueso y maduro y nunca miraba de frente. Una vez el Nini le preguntó por qué hablaba con las vacas y no con los hombres y el Rabino Chico respondió: "Los hombres sólo dicen mentiras". Ahora, el Rabino Chico se volvió al niño y le dijo:

—Nini, ¿es cierto que el Justito os quiere largar de la cueva?

—Eso dicen.

—¿Quién lo dice?

El niño se encogió de hombros. Dijo:

—¿Terminaste de pintar el establo?

—Ayer tarde.

—¿Y qué?

—Da tiempo al tiempo.*

El Nini dobló el recodo de la iglesia. Los relejes eran allí más profundos y el agua estancada, pese al frío, expandía una fetidez nauseabunda. En las tapias de la señora Clo, frente a la iglesia, un cartelón de letras de brea decía en caracteres muy gruesos: "Vivan los quintos del 56".* La señora Clo barría briosamente los dos peldaños de cemento que daban acceso al estanco. De pronto levantó la cabeza y vio al niño restregando la moneda contra las piedras del templo.

—¿Dónde vas tan de mañana,* Nini?

El niño dio media vuelta y se quedó con las piernas abiertas mirando para la mujer. El cieno había dejado sobre una de sus pantorrillas una sucia huella como un calcetín oscuro. La señora Clo se apoyó en el palo de la escoba, sonrió con toda su ancha cara y dijo:

—El tiempo está de cambio, Nini. ¿Cuándo matamos el chon?

El niño la miró reflexivamente. Dijo:

—Aún es temprano.

—Mira que* tu abuela no lo pensaba tanto.

El Nini movió decididamente la cabeza:

—Deje, señora Clo, antes de San Dámaso no es bueno hacerlo. Ya avisaré.

Reanudó su camino y como viera* a la perra merodeando la casa de José Luis, el alguacil, la silbó tenuemente. La Fa acudió a su llamada y se situó dócilmente tras él, mas en la esquina se lanzó sobre el bando de gorriones que picoteaban entre el estiércol. Los pájaros levantaron el vuelo y desde los bajos aleros piaban ahora desaforadamente y la perra les miraba levantando la cabeza y moviendo nerviosamente el rabo cercenado.

La Sierra del Antoliano ya se sentía y el Nini se asomó a la puerta, abierta incluso en los días más crudos del invierno, y desde allí le vio, oblicuo sobre el banco, su mano poderosa afirmada en el mango de la sierra. El taller era un tabuco mezquino, lleno de virutas y aserrín, y con cuatro listones crudos colocados verticales en un rincón. En la pared, junto a la ventana, un reclamo de perdiz daba vueltas incesantemente sobre sí mismo picoteando los barrotes de la jaula. Hubo un tiempo en que el Antoliano se ganaba la vida fabricando celemines y medias fanegas, pero desde que el Servicio* empezó a medir el cereal

B

por kilos, el Antoliano andaba de parado, arrimando el hombro a lo que saliera.* Visto de perfil, el rostro del Antoliano mostraba una exuberante irregularidad en la nariz, como si el apéndice hubiera tratado de formarse sobre la ternilla y, luego a medio hacer, hubiera desistido de jugarle esa mala pasada. En todo caso, la nariz del Antoliano parecía la de un boxeador y para él, que se ufanaba de fuerte y arriscado, era aquello una humillación. A menudo, sin que nadie se lo pidiera, se justificaba: "¿Sabes quién tuvo la culpa de que mi nariz sea como un buñuelo? Estas condenadas manos." Las manos del Antoliano, nevadas ahora de aserrín, eran enormes, como dos palas y, según él, paseando una noche cerrada con ellas en los bolsillos tropezó con un pedrusco y se dio de bruces con el brocal del pozo del Justito antes de tener tiempo de sacarlas.

—Hola — le dijo el niño desde la puerta.

La perra penetró en el tabuco y se agachó en el rincón, junto a los listones recién cepillados.

—¡Chita! — dijo el niño.

El Antoliano soltó una breve risa sin levantar los ojos del tablón que aserraba.

—Déjala — dijo. Eso no hace daño.

El Nini se recostó en el umbral. Un dulce sol de otoño caía ahora sobre la calleja y alcanzaba media puerta de la Sierra. Dijo el niño, entrecerrando perezosamente los ojos al sol:

—¿Qué haces?

—Mira. Un ataúd.

—El Nini volvió la cara sorprendido:

—¿Hay un difunto? — dijo.

El Antoliano denegó sin cesar en su trabajo.

—No es de aquí — dijo —. De Torrecillórigo es. El Ildefonso.

—¿El Ildefonso?

—Ya estaba viejo.* Cincuenta y siete años.

El Antoliano dejó la sierra sobre el banco y se limpió el sudor de la frente con el antebrazo. El cabello enmarañado blanqueaba de aserrín y todo él emanaba un suave y reconfortante aroma a madera virgen. Dijo:

—En la capital llevan cada día más caro por esto. Y tú ves lo que son: cuatro tablas.

Su mirada se ensombreció al añadir:

—Claro que nadie necesita más.

Se sentó a la puerta, en el poyo de piedra, junto al niño, y lio pausadamente un cigarrillo:

—Adolfo me trajo ayer la simiente. La bodega ya está lista — dijo, pasando cuidadosamente la punta de la lengua por el filete engomado.

—Ahora has de preparar una cama caliente — dijo el niño.

—¿Caliente?

—Primero una capa de estiércol; luego otra de tierra bien cernida.

El Antoliano prendió el cigarrillo con un chisquero de mecha y agregó con los labios apretados:

—¿Estiércol de vaca o de caballo?

—De caballo si la cama ha de ser caliente; después tendrás que regar.

—Bueno.

—El Antoliano dio una larga chupada al cigarrillo, pensativo. Dijo, expeliendo el humo deleitosamente:

—Digo que si el champiñón ése se diera bien en la bodega, he de poner más en las cuevas de arriba.

—¿En la de los abuelos?

—Y en la del Mudo y en la de la Gitana. En las tres.

El chiquillo desaprobó con la mirada:

—No debes hacerlo — dijo —. Esas cuevas se caen cualquier día.

El Antoliano hizo una mueca despectiva:

—Hay que arriesgarse — dijo.

El gallo blanco se encaramó inopinadamente sobre las bardas del corral, rayano a la Sierra, ahuecó sus plumas al sol, estiró el pescuezo y emitió un ronco quiquiriquí. La Fa comenzó a brincar en el barro de la calle ladrándole furiosamente y entonces el gallo inclinó la cabeza y empezó a bufarla como un ganso. Dijo el Nini:

—Ese gallo se tira. Un día te da un disgusto.*

El Antoliano se incorporó la colilla al barro y la hundió de un pisotón. Dijo:

—Mira, alguien tiene que guardar la casa.

Ya iba a entrar en el taller cuando pareció recordar algo y volvió a salir.

—¿Dices que la capa de tierra sobre la capa de porquería?

—Sí. Y bien cernida — respondió el niño.

El Antoliano ladeó un poco la cabeza y antes de entrar en el taller hizo un amistoso ademán con su mano gigantesca. El Nini silbó a la perra y se perdió calle abajo, camino del río.

3

La señora Clo, la del Estanco, atribuía al Nini la ciencia infusa, pero doña Resu, o como en el pueblo la decían, el Undécimo Mandamiento, afirmaba que la sabiduría del Nini no podía provenir más que del diablo, puesto que si el hijo de primos es tonto mayor razón habría para que lo fuera el hijo de hermanos. La señora Clo aducía que el hijo de primos es lelo o espabilado, según, y a esto terciaba el Antoliano afirmando: "Pero, doña Resu, ¿qué es un tonto más que un listo que se pasa?" Y decía doña Resu escandalizada. "Ya estás tú con tus teorías."* Y decía el Antoliano: "¿Es que acaso está mal dicho?" Y decía doña Resu: "No sé si está mal o bien, pero así te crece a ti el pelo."*

Fuera como fuese, el saber lo que sabía se lo debía el Nini únicamente a su espíritu observador. Sin ir más lejos,* si los niños y los mozos se arrimaban al Tío Rufo, el Centenario, sólo por el capricho de verle temblar la mano y luego reír, el Nini lo hacía empujado por la curiosidad. El tío Rufo, el Centenario, sabía mucho de todas las cosas. Hablaba siempre por refranes y conocía al dedillo el santo de cada día. Y si bien no recordaba con exactitud los años que contaba, podía, en cambio, hablar lúcidamente de la peste de 1858, de la visita de S. M. la Reina Isabel y aun del arte de Cúchares y El Tato,* aunque jamás hubiera presenciado una corrida de toros.

El Nini, sentado junto a él en el poyo de la puerta, no reparaba en sus movimientos nerviosos. A veces ni siquiera decía sí o no, pero al Centenario le estimulaban sus ojos expectantes, su inquisitiva atención y, en su caso, el aplomo maduro de sus preguntas y respuestas.

Generalmente, el viejo se arrancaba por el Santoral, el tiempo o el campo, o los tres en uno:

—En llegando San Andrés, invierno es — decía.

O si no:

—Por San Clemente alza la tierra y tapa la simiente.

O si no:

—Si llueve en Santa Bibiana, llueve cuarenta días y una semana.

Una vez roto el silencio, el Centenario tenía cuerda para rato. De este modo aprendió el Nini a relacionar el tiempo con el calendario, el campo con el Santoral y a predecir los días de sol, la llegada de las golondrinas y las heladas tardías. Así aprendió el niño a acechar a los erizos y a los lagartos, y a distinguir un rabilargo de un azulejo, y una zurita de una torcaz.

Y otro tanto le aconteció al niño, en tiempos, con sus abuelos. El Nini, el chiquillo, en contra de lo que suele ser usual, tuvo tres abuelos por partida doble: dos abuelos y una abuela. Los tres vivieron juntos en la cueva vecina y, a veces, de muy niño, el Nini inquiría del tío Ratero cuál de ellos era el abuelo verdad. "Todos lo son" —decía el tío Ratero entreabriendo tímidamente su sonrisa entre estúpida y socarrona. El tío Ratero rara vez pronunciaba más de cuatro palabras seguidas. Y si lo hacía era mediante un esfuerzo que le dejaba extenuado, más que por el desgaste físico, por la concentración mental que le exigía.

El Nini acompañaba al abuelo Abundio, el Podador, a Torrecillórigo, donde don Virgilio, el Amo, reunía cincuenta hectáreas de viñedo y una hermosa casa con emparrado y un almacén inhóspito, con el tejado de uralita agujereado, que era donde pernoctaban ellos, los perros de los pastores y los extremeños que, por entonces, andaban levantando el monte. La primera noche, el abuelo Abundio no se acostaba; solía pasarla reparando el tejado con chapas y lajas, para evitar el frío y la humedad.

Al Nini le placía Torrecillórigo por cambiar de ambiente, aunque le asustaran los extremeños con las historias que referían junto a la lumbre, mientras guisaban la frugal cena y los perros de los pastores dormitaban, enroscados, a sus pies. También le asustaban jurando por las mañanas, cuando el abuelo, antes de amanecer, hacía chirriar la bomba del pozo y chapoteaba para lavarse. Los extremeños le amenazaban con partirle el alma, pero llegado el caso nunca se decidían, tal vez porque fuera hacía frío.

Ya en el campo, el Nini veía negrear los sarmientos entre los terrones y cada vez le producían la impresión de algo vivo y doliente. El abuelo Abundio cortaba, empero, sin compasión y según saltaban las ramas inútiles y por encima de su hombro le aleccionaba:

—Podar no es cortar sarmientos, ¿oyes?

—Sí, abuelo.

—Cada cepa tiene su poda,* ¿oyes?

—Sí abuelo.

—Un majuelo de verdejo de 30 años llevará dos varas de empalmes, dos nuevas, dos o tres calzadas y dos o tres pulgares, ¿oyes?

—Sí, abuelo.

—Con el jerez o el tinto no lo harías así. Con el jerez o el tinto dejarías dos varas pulgares, dos yemas y un sacavinos, ¿oyes?*

—Sí, abuelo.

Al concluir cada cepa el viejo enterraba cuidadosamente las ramas cortadas al pie del sarmiento para que le sirvieran de abono. El niño se complacía en la obra de su abuelo e imaginaba que su obsesión por la higiene le venía del oficio; de tanto aligerar las parras de todo lo sucio, inútil or superfluo.

A pesar de ser hermanos, el abuelo Román era la antítesis del abuelo Abundio. Jamás se arrimaba al agua sino en enero, y esto porque, según decía el Tío Rufo, el Centenario, "la liebre, en enero, cerca del agua." Se dejaba crecer las barbas y cada año, allá para mayo, se las rapaba, generalmente el 21,* la víspera de Santa Rita. La última vez que se las cortó, a instancias de su hermano, fue en invierno y el hombre no pudo ni contarlo. El abuelo Román le decía al abuelo Abundio cada vez que le sorprendía lavándose en la herrada: "Aparta, Abundio, hueles a ranas." Si pensaba, o hacía que pensaba, el abuelo Román introducía un dedo bajo la churretosa boinilla y se rascaba áspera, insistentemente, el cráneo. Así, una vez, cuando el Nini cumplió cuatro años, el abuelo Román le dijo:

—Mañana te vienes conmigo al campo.

Y salieron, bajo un sol de membrillo, y ya en los barbechos, el abuelo Román se trocó en una especie de animal acechante. Andaba doblado en ángulo recto, aspirando sonoramente el viento por las narices, con una cachaba en cada mano, y hasta sus barbas parecían dotadas de una sensibilidad táctil. De cuando en cuando se detenía y observaba furtivamente en derredor, sin mover apenas la cabeza. Sus ojos, en esos casos, parecían cobrar vida independiente. En ocasiones, el abuelo Román ladeaba la cabeza para escuchar o se echaba al suelo y examinaba atentamente las piedras, los terrones y las pajas de los rastrojos. En una de sus inspecciones recogió una oscura bolita de encima de una lasca y sonrió golosamente como si fuera una perla y el niño se sobresaltó:

—¿Qué es, abuelo?

—¿No lo ves? La freza, Nini. No andará lejos,* está todavía reciente.

—¿Qué es la freza, abuelo?

—¡Ji, ji, ji, la cagada! ¿Pero así andas?*

De súbito, el abuelo Román se inmovilizó, con un dedo bajo la boina, los ojos fijos como dos botones, y dijo sin mover los labios:

—Ve, ahí está.

Lentamente se fue incorporando,* clavó en el suelo una de las cachabas y colocó la gorra sobre el mango. Después, como sin querer la cosa, fue describiendo* un pequeño semicírculo mientras, a media voz, daba instrucciones al niño:

—No te muevas, hijo, se marcharía, ¿Ves esa lasca blanca a dos metros de la cacha? Ve, ahí está aculada la zorra de ella. No te muevas, ¿oyes? ¿No ves qué ojos tiene la indina? Quieto, hijo, quieto.

El Nini no acertaba a ver la liebre, mas conforme el abuelo se aproximaba enarbolando la otra cachaba, la divisó. Los ojos amarillos del animal, clavados en la boina del abuelo, fosforescían entre los terrones. Poco a poco iban definiéndose para el niño los difusos contornos del animal: el hocico, las azuladas orejas pegadas al lomo, el trasero respaldado en la insignificante prominencia. La liebre, como las casas del pueblo, en prodigioso mimetismo, formaba un solo cuerpo con la tierra.

El abuelo se aproximaba a ella de costadillo, sin mirarla apenas, y cuando se halló a tres metros le lanzó violentamente la cayada describiendo molinetes en el aire. La liebre recibió el golpe sobre el lomo, sin moverse, y súbitamente se abrió como una flor* y durante unos segundos se estremeció convulsivamente en el surco. El abuelo Román saltó sobre ella y la agarró por las orejas. Sus pupilas relampagueaban.

—Es como un perro de grande,* Nini. ¿Qué te parece?

—Bien — dijo el niño.

—Fue todo limpio, ¿no?

—Sí.

Mas al chiquillo no le agradó la faena del abuelo. Por principio le repugnaba la muerte en todas sus formas. Con el tiempo apenas se modificó su actitud; es decir, sólo concebía muertas a las ratas que eran su sustento y a los cuervos y las urracas porque su fúnebre plumaje le recordaba el entierro del abuelo Román y la abuela Iluminada, los dos ataúdes juntos sobre el carro de la Simeona. Por la misma razón, odiaba el niño a Matías Celemín, el Furtivo. El abuelo, al menos, se enfrentaba con las liebres a cuerpo limpio, en tanto el Furtivo las achicharraba en la cama, volándoles el cráneo de una perdigonada, sin darles opción.

A pesar de todo, el Furtivo no perdía la esperanza.

—Nini, bergante, dime dónde anda el tejo. Un duro te doy si aciertas.

Los ojos del Furtivo eran grises y pugnaces como los de un águila. Su piel, quemada por el sol y los vientos de la meseta, se fruncía en mil pliegues cuando reía, que era cada vez que se dirigía al niño, y su boca mostraba, en esos casos, unos atemorizadores dientes carniceros.

Junto al abuelo Román, el Nini aprendió a conocer las liebres; aprendió que la liebre levanta larga o se amona entre los terrones; que en los días de lluvia rehuye las cepas y los pimpollos; que si sopla norte,* se acuesta al sur del monte o del majuelo y, si sur, al norte; que en las soleadas mañanas de noviembre busca la amorosa abrigada de las laderas. Aprendió a distinguir la liebre de los bajos — parda como la tierra de la cuenca —, de la del monte — roja como la tiera del monte —. Aprendió que la liebre ve lo mismo de día que de noche e, incluso, cuando duerme; aprendió a distinguir el sabor de la liebre cazada a escopeta, del de la cazada a golpes, del de la cazada a galgo, un si es no es incisivo y ácido a causa de la carrera. Aprendió, en fin, a descubrirlas en la cama con la misma rotundidad que si se tratara de un cuervo, y a definir, en el espeso silencio de la noche, su llamada áspera y gutural.

Pero también aprendió el niño, junto al abuelo Román, a intuir la vida en torno. En el pueblo, las gentes maldecían de la soledad y ante los nublados, la sequía o la helada negra, blasfemaban y decían: "No se puede vivir en este desierto." El Nini, el chiquillo, sabía ahora que el pueblo no era un desierto y que en cada obrada de sembrado o de baldío alentaban un centenar de seres vivos. Le bastaba agacharse y observar para descubrirlos. Unas huellas, unos cortes, unos excrementos, una pluma en el suelo, le sugerían, sin más, la presencia de los sisones, las comadrejas, el erizo o el alcaraván.

Pero una vez — para Santa Escolástica haría dos años —, el abuelo Román se rapó las barbas y enfermó. A la abuela Iluminada, que le velaba cada noche en la cueva, la encontraron tiesa un amanecer, sentada en el tajuelo, sin descomponer el gesto ni la figura, tal como dormida. La abuela Iluminada hacía cada año la matanza para los pudientes de los alrededores y ella se vanagloriaba de que ningún cerdo gruñía más de tres veces después de asestarle el golpe de gracia y de que nunca, en su larga vida, hizo mierda* al sajar la membrana del animal.

Al llegar a la cueva el carro de la Simeona con el ataúd, el abuelo Román había muerto también y hubo necesidad de bajar por otro. El borrico de la Simeona arrastraba alegremente los dos féretros cárcava abajo, pero al llegar al puentecillo la rueda izquierda se hundió en una de las juntas y cayó al río. El ataúd de la abuela Iluminada se abrió entonces y ella apareció mirándoles tranquilamente, la boca abierta, como sorprendida, y las manos en el regazo. Pero allí, dentro del cajón, flotando en las sucias aguas, parecía una mujer en conserva. La señora Clo, la del Estanco, al comentar la serena pasividad del cadáver decía que a la Iluminada, hecha a vivir bajo tierra, la muerte no la espantaba.

Cuando el Nini y el tío Ratero regresaron del camposanto, el abuelo Abundio se había largado ya, nadie sabía dónde, con sus navajas y sus tijeras de podador.

4

El tío Ratero se reclinó, aplastó una oreja contra el suelo y auscultó insistentemente las entrañas de la tierra. Al cabo se incorporó, apuntó con el pincho de hierro la hura junto al cauce y dijo:

—Aquí la hay.*

La perra agitó el muñón y olfateó con avidez la boca de la hura. Finalmente se alebró, la pequeña cabeza ladeada, y quedó inmóvil, al acecho.

—Ojo, chita — dijo el Ratero y de un solo golpe hundió el pincho de hierro a un metro de la ribera.

La rata cruzó rauda junto al hocico del animal, escabulléndose, con un rumor de hojarasca, entre los carrizos resecos de la orilla.

El Nini voceó:

—¡Hala con ella!*

La Fa se arrancó como una centella tras la rata. El hombre y el niño corrían por el ribazo, estimulando con sus gritos al animal. Se originó una persecución accidentada entre los despojos de los carrizos y la corregüela. La perra, en su frenesí, quebraba los frágiles tallos de las espadañas, y las mazorcas se desplomaban sobre el riachuelo y la corriente las agitaba mansamente en un movimiento de vaivén. La perra, de pronto, se detuvo. El tío Ratero y el Nini conocían su situación exacta por las esbeltas espadañas erectas, allí donde concluía la oquedad abierta entre la maleza.

—Tráela, Fa — dijo el Nini.

Las espadañas se agitaron un momento, se oyó un sordo rumor de lucha y, al cabo, un breve gruñido, y el tío Ratero dijo:

— Ya la tiene.

La perra regresó junto a ellos, con la rata atravesada en la boca, moviendo el rabo cercenado jubilosamente. El tío Ratero le quitó a la perra la rata de la boca.

—Es un buen macho — dijo.

Los dientes de la rata asomaban bajo el hocico en una demonstración de agresividad inútil.

Desde San Zacarías el hombre y el niño bajaban al cauce cada mañana. Esto fue así desde que el Nini tuvo uso de razón. Había que aprovechar la otoñada y el invierno. En estas estaciones, el arroyo perdía la fronda, y las mimbreras y las berreras, la menta y la corregüela formaban unos resecos despojos entre los cuales la perra rastreaba bien. Tan sólo los carrizos, con airosos plumeros, y las espadañas con sus prietas mazorcas fijaban en el río una muestra de permanencia y continuidad. Las ralas junqueras de las orillas amarilleaban en los extremos, como algo decadente, abocado también a sucumbir. Sin embargo, año tras año, al llegar la primavera, el cauce reverdecía, las junqueras se estiraban de nuevo, los carrizos se revestían de hojas lanceoladas y las mazorcas de las espadañas reventaban inundando los campos con las blancas pelusas de los vilanos. La pegajosa fragancia de la hierbabuena loca y la florecilla apretada de las berreras, taponando las sendas, imposibilitaban a la perra todo intento de persecución. Había llegado el momento de la veda y el tío Ratero, respetando el celo de las ratas, se recogía en su cueva hasta el próximo otoño.

El tío Ratero no pretendía exterminar a las ratas.* En ocasiones, si la perra hacía una muestra y él observaba a la entrada de la hura cuatro yerbajos resecos, la disuadía:

—Está anidando, vamos.

La perra se retiraba sin oponer resistencia. Entre ella, el Nini y el tío Ratero existía una tácita comprensión. Los tres sabían que destruyendo las camadas no conseguirían otra cosa que quedarse sin pan. Las ratas se reproducían cada seis semanas y de cada parto echaban cinco o seis crías. En definitiva, una camada suponía, por lo bajo, cuarenta reales que no eran cosa de desdeñar. Análoga actitud pasiva adoptaba la Fa si la cueva se abría bajo el nivel del agua, a sabiendas de que su participación era inútil. En esos casos, el tío Ratero había de valerse por sí mismo.* Colocaba la mano derecha en el cieno del fondo adaptando la concavidad de la palma a las dimensiones de la hura; luego pinchaba con la izquierda y el brusco chapoteo de la rata al huir le advertía su presencia. A poco sentía en la piel un cosquilleo viscoso y entonces cerraba de golpe su mano poderosa e izaba triunfante* a la superficie la presa asida por el morro. Le bastaba un violento tirón del rabo para quebrarle el espinazo.

Por San Sabas le mordió una rata al tío Ratero. Para entonces hacía casi cuatro semanas que en el pueblo había concluido la sementera. El señor Rufo, el Centenario, solía decir: "Después de Todos los Santos, siembra trigo y coge cardos" y los campesinos ponían un cuidado supersticioso en no rebasar esa fecha. Y este año, como si obedecieran una consigna, flameaba en cada parcela, clavado en una estaca, boca abajo, el cadáver de un cuervo. Los grajos merodearon dos días desconcertados por las inmediaciones y finalmente levantaron el vuelo en dirección norte. Virgilín Morante, el de la señora Clo, se reía en la taberna:

—Los de Torrecillórigo nos lo van a agradecer* — decía.

Pero se fueron los cuervos y, a cambio, la lluvia empezó a demorar. Y decía el Rosalino, el Encargado de don Antero, el Poderoso:

—Si no llueve para Santa Leocadia habrá que resembrar.

Y el Pruden, a quien las adversidades afinaban la suspicacia, le contestó que el mal era para los pobres, puesto que utilizando la

máquina, como hacían ellos, bien poco costaba hacerlo. El señor
Rosalino, que alcanzaba con la cabeza y sin empinarse las primeras
ramas de los chopos de la ribera soltó una carcajada:

—A voleo no siembran ya más que los mendigos y los tontos —
dijo.

Por la tarde, el Pruden se había presentado en la cueva desolado:

—Nini, no llueve, ¿qué demonios haríamos para llover?*

—Esperar — dijo el niño gravemente. Y el Pruden bajó los ojos
porque la serena mirada del Nini le confundía.

Por San Sabas, cuando la rata le mordió un dedo al tío Ratero,
flotaba en el cielo quedo de otoño un sol rojo y turgente como un
globo. De la parte del pueblo una tibia calina se fundía con el humo
rastrero de la paja quemada en los hogares. El alcotán palomero
se cernía sobre el campanario agitando frenéticamente las alas pero
sin avanzar ni retroceder.

El niño oteó el cielo en la línea de los cerros y dijo:

—Lo mismo llueve mañana.

—Lo mismo — dijo el Ratero y se sentó pesadamente en el ribazo.

El tío Ratero abrió la alforja y sacó medio pan con tocino dentro.
Lo partió y ofreció la mitad al niño. Luego fue dividiendo el tocino
y llevándose los pedazos a la boca pinchados en la punta de la
navaja.

—¿Duele eso? — dijo el niño.*

El Ratero se miró el dedo encallecido con los tres puntazos san-
guinolentos:

—No duele ya — dijo.

Detrás de la telera que abonaba las tierras de Justito, el Alcalde,
sonó el cascabeleo del rebaño del Rabino Grande, el Pastor. El Moro,
el perro, se había anticipado y les miraba comer moviendo resignadamente la cola. Al cabo de un rato se aproximó a la perra y la Fa le
gruñó mostrándole los colmillos.

El Rabino Grande traía el poncho de piel de oveja sobre un
hombro y dijo después de mirar al sol:

—¿Es que no queda ya en el cielo una gota de agua?

Lio un cigarrillo sin aguardar respuesta, le prendió, dio dos pro-
fundas chupadas y se quedó mirando para el chisquero de yesca con
resentimiento:

—¿Pues no salen ahora con que hay que pagar por esto?* — dijo.

El tío Ratero ni le miró. Agregó el Rabino Grande:

—Antes lo tiro al río,* ya ves tú.

Fumaba de pie, apoyado en la cayada, inmóvil, la vista en el infinito, como una estatua. Las esquilas de las ovejas sonaban en derredor. Dijo el Ratero súbitamente:

—¿Viste a ése?*

Señalaba con el pulgar en dirección a Torrecillórigo.

—Aún no salió este año — dijo el Pastor sin alterar la postura.

—Malvino le vio — dijo el Ratero.

—No es cierto eso.

—Malvino le vio — insistió el Ratero.

En la taberna, Malvino le había advertido la víspera: "Ojo con ése, Ratero; viene a quitarte el pan. Antes de que él naciera ya andabas tú en el oficio".

El Rabino Grande, el Pastor, lanzó la colilla al río. Dijo, después de mucho pensarlo:

—Ponme un par de ratas, tú, anda. A siete reales ¿verdad?

—A ocho — dijo el Nini.

—Bien, pero dame aquél macho.

El tío Ratero se incorporó, se estiró perezosamente y oteó a lo largo del cauce, protegiéndose del sol con la mano.

Dijo el Pastor enojado:

—Te digo que no salió, Ratero. ¿No basta con mi palabra?

—Malvino le vio — insistió entre dientes el Ratero.

El Rabino Grande palpó golosamente los lomos de las ratas antes de guardarlas. Dijo al marchar:

—Que pinte bien.*

Al caer el sol, el hombre y el niño regresaron al pueblo. La calina se adensaba sobre las casas, y los sembrados y los barbechos endurecidos crujían bajo los pies. La perra, aspeada, caminaba tras ellos cansinamente. Las palomas del Justito ya se habían recogido, y apenas cuatro rapaces animaban con sus juegos las yertas calles del pueblo.

En la taberna, por contra, había cierta animación. Una desnuda bombilla derramaba su luz amarillenta sobre las mesas. Frutos, el Jurado, jugaba en la del fondo su interminable partida de dominó con Virgilín Morante, el marido de la señora Clo, que canturreaba maquinalmente y subrayaba los finales de estrofa golpeando el tablero con las fichas.

Dijo el Pruden apenas les vio:

—Malvino, pon un vaso para el Ratero.

Era un hecho anómalo, pues el Pruden tenía fama de mezquino. Pero el Pruden esta noche parecía soliviantado. Tomó al Nini nerviosamente por el pescuezo y le explicó confusamente algo sobre un plan de regadío de que hablaba el diario y que alcanzaría hasta el pueblo. Dijo impulsivamente al niño, según se sentaba en el banco del fondo:

—Date cuenta, Nini, si llueve como si no. Cuando el Pruden quiera agua no tiene más que levantar la compuerta y ya está. ¿Te das cuenta? Dejaremos de vivir aperreados mirando al cielo todo el día de Dios.

Se hizo una larga pausa. Tan sólo se sentían los golpes de las fichas de dominó y, enlazándoles, el reiterado estribillo de Virgilín Morante. Al cabo, dijo el Centenario con su voz chillona desde la esquina opuesta:

—Si los planes hicieran cundir los trigos, a estas horas no quedaría sitio en las paneras.

Se abrió otra pausa. El Pruden miraba fijamente al Nini, pero el Nini no despegó los labios. Dijo con sorna un hombre con los hombros encogidos, en la mesa inmediata:

—Pon dos vasos. Antes de que llegue el agua vamos a terminar con el vino.

Fuera era ya oscuro y una luna glauca y enfermiza asomó tras el Cerro Colorado y fue elevándose lánguidamente sobre un cielo alto, extrañamente mineralizado.

5

Por San Dámaso, la señora Clo, la del Estanco, mandó razón al Nini, y le condujo hasta la pocilga:

—Tienta, hijo; ya está metido en arrobas, creo yo.

El niño midió el marrano:

—Tiene una cuarta de lomo — dijo.

Pero llovía y nada se podía hacer.* Para San Nicasio escampó, mas el Nini oteó el cielo y dijo:

—Deje, señora Clo, todavía hay blandura. Hemos de aguardar a que el cielo arrase.

Desde que tuvo uso de razón, el Nini siempre oyó decir que la señora Clo, la del Estanco, era la tercera rica* del pueblo. Delante estaban don Antero, el Poderoso, y doña Resu, el Undécimo Mandamiento. Don Antero, el Poderoso, poseía las tres cuartas partes del término; doña Resu y la señora Clo sumaban, entre las dos, las tres cuartas partes de la cuarta parte restante y la última cuarta parte se la distribuían, mitad por mitad, el Pruden y los treinta vecinos del lugar. Esto no impedía a don Antero, el Poderoso, manifestar frívolamente en su tertulia de la ciudad que "por lo que hacía a su pueblo, la tierra andaba muy repartida".* Y tal vez porque lo creía así, don Antero, el Poderoso, no se andaba con remilgos a la hora de defender lo suyo y el año anterior le puso pleito al Justito, el Alcalde, por no trancar el palomar en la época de sementera. Bien mirado,* no pasaba año sin que don Antero, el Poderoso, armara en el pueblo dos o tres trifulcas, y no por mala fe, al decir del señor Rosalino, el Encargado, sino porque los inviernos en la ciudad eran largos y aburridos y en algo había de entretenerse el amo. De todos modos, por Nuestra Señora de la Viñas, la fiesta del pueblo, don Antero alquilaba una vaca de desecho para que los mozos la corriesen y apalearan a su capricho, y de este modo se desfogasen de los odios y rencores acumulados en sus pechos en los doce meses precedentes.

Tres años atrás, con motivo de esta circunstancia, el Nini estuvo a punto de complicar las cosas. Y a buen seguro, algo gordo hubiera ocurrido sin la intervención de don Antero, el Poderoso, que aspiraba a hacer del niño un peón ejemplar. El caso es que* el Nini, compadecido de los desgarrados mugidos de la vaca en la alta noche,* se llegó a las traseras de don Antero, el Poderoso, y le dio suelta. En definitiva de bien poco sirvió su gesto, ya que cuando el animal tornó al redil, tras una accidentada captura en el descampado, llevaba un cuerno tronzado, el testuz sangrante y el lomo literalmente cubierto de mataduras. Pero aún pudo* embrollarse más el asunto, cuando Matías Celemín, el Furtivo, apuntó aviesamente: "Esto es cosa del bergante del Nini." Menos mal que don Antero conocía ya sus habilidades y su ciencia infusa y le dijo al señor Rosalino, el Encargado: "¿No es el Nini el hijo del Ratero, el de la cueva, ése que sabe de todo y a todo hace?" Ése, amo" — dijo el señor Rosalino. "Pues déjale trastear y el día que cumpla los catorce le arrimas por casa."

Durante el invierno, helaba de firme y don Antero, el Poderoso, asomaba poco por el pueblo. Tampoco la señora Clo ni el Undécimo Mandamiento asomaban por sus tierras en invierno ni en verano, ya que las tenían dadas en arriendo. Pero mientras doña Resu cobraba sus rentas puntualmente en billetes de banco lloviera o no lloviera,* helara o apedreara, la señora Clo, la del Estanco, cobraba en trigo, en avena o en cebada si las cosas rodaban bien y en buenas palabras* si las cosas rodaban mal o no rodaban. Y en tanto el Undécimo Mandamiento no se apeaba del "Doña", la estanquera era la señora Clo* a secas; y mientras el Undécimo Mandamiento era enjuta, regañona y acre, la señora Clo, la del Estanco, era gruesa, campechana y efusiva; y mientras doña Resu, el Undécimo Mandamiento, evitaba los contactos populares* y su única actividad conocida era la corresponsalía de todas las obras pías y la maledicencia, la señora Clo, la del estanco, era buena conversadora, atendía personalmente la tienda y el almacén y se desvivía antaño por la pareja de camachuelos, y hogaño por su marido, el Virgilio, un muchacho rubio, fino e instruido, que se trajo de la ciudad y del que el Malvino, el Tabernero, decía que había colgado el sombrero.*

El Nini, el chiquillo, tuvo una intervención directa en el asunto de los camachuelos. Los pájaros se los envió a la señora Clo, todavía pollos, su cuñada, la de Mieres, casada con un empleado de Telégrafos. Ella los encerró en una hermosa jaula dorada, con los comederos pintados de azul, y les alimentaba con cañamones y mijo, y por la noche introducía en la jaula un ladrillo caliente forrado de algodones para que los animalitos no echasen en falta el calor materno. Ya adultos, la señora Clo sujetaba entre los barrotes de la jaula una hoja de lechuga y una piedrecita de toba, aquélla para aligerarles el vientre y ésta para que se afilasen el pico. La señora Clo, en su soledad, charlaba amistosamente con los pájaros y, si se terciaba, los reprendía amorosamente. Los camachuelos llegaron a considerarla una verdadera madre y cada vez que se aproximaba a la jaula el macho ahuecaba el plumón asalmonado de la pechuga como si se dispusiera a abrazarla. Y ella decía melifluamente: "¿A ver quién es el primero que me da un besito?" Y los pájaros se alborotaban, peleándose por ser los primeros en rozar su corto pico con los gruesos labios de la dueña. Aún advertía la señora Clo si regañaban entre sí: "Mimos, no, ¿oís? Mimos, no."

Para San Félix de Cantalicio haría cuatro años, el Nini regaló a la señora Clo un nido vacío de pardillos, advirtiéndola que los camachuelos procreaban en cautividad y la mujer experimentó un júbilo tan intenso como si le anunciara que iba a ser abuela. Y, en efecto, una mañana al despertar, la señora Clo observó estupefacta que la hembra yacía sobre el nido y cuando ella se aproximó a la jaula no acudió a darle el beso acostumbrado.

El animalito no cambió de postura mientras duró la incubación y al cabo de unos días aparecieron en el nido cinco pollitos sonrosados y la señora Clo, enternecida, se precipitó a la calle y comenzó a pregonar la novedad a los cuatro vientos. Mas fue la suya una ilusión efímera, pues a las pocas horas* morían dos de las crías y las otras tres comenzaron a abrir y cerrar el pico con tales apremios que se diría que les faltaba aire que respirar. La señora Clo envió razón al Nini y aunque el niño , en las horas que siguieron, vigiló atentamente a los pájaros y se esforzó por hacerles ingerir bayas silvestres y semillas de todas clases, de madrugada murieron los otros tres pequeños camachuelos y la señora Clo, inconsolable, marchó a la ciudad, donde su hermana,* para tratar de olvidar. Doce días mas tarde regresó, y el Nini, que estaba junto a la Sabina que había quedado al encargo de la tienda, observó que los ojos de la señora Clo resplandecían como los de una colegiala. Le dijo a la Sabina con torpe premura: "Para San Amancio estás de boda,* Sabina; él se llama Virgilio Morante y es rubio y tiene los ojos azules como un dije."

Y cuando el Virgilio Morante llegó al pueblo, tan joven, tan crudo, tan poca cosa,* los labriegos le miraron con desdén y el Malvino empezó a decir en la taberna que el muchachito era un espabilado que había colgado el sombrero. Pero de que el Virgilio se tomó dos vasos y se arrancó por "Los Campanilleros" e hizo llorar al Tío Rufo, el Centenario, de sentimiento, cundió entre todos la admiración y un lejano respeto, y así que le echaban la vista encima le decían:

—Anda, Virgilín, majo, tócate un poco.

Y él les complacía o, si acaso, argumentaba:

—Hoy no, disculpadme. Estoy afónico.

Y durante la matanza, las conversaciones en casa de la señora Clo dejaron de tener sentido. La gente acudía allí sólo por el gusto de oír cantar a Virgilín Morante. Y hasta el Nini, el chiquillo, que desde el fallecimiento de la abuela Iluminada ejercía de matarife, se sentía un poco disminuido.

Por San Albino el cielo arrasó y el Nini bajó al pueblo y paseó el cerdo de la señora Clo durante una hora y le dictaminó una dieta de agua y salvado. Dos días más tarde cayó sobre el pueblo una dura helada. Por entonces los escribanos y los estorninos ya habían mudado la pluma, luego era el invierno y los terrones rebrillaban de escarcha y se tornaron duros como el granito y el río bajaba helado, y cada mañana el pueblo se desperezaba bajo una atmósfera de cristal, donde hasta el más leve ruido restallaba como un latigazo.

Al llegar el Ratero y el Nini con el alba, donde la señora Clo, reinaba en la casa un barullo como de fiesta. De la ciudad habían bajado los sobrinos y también estaban allí la Sabina y el Pruden y su chico, el Mamertito, y la señora Librada, y Justito, el Alcalde, y el José Luis, el Alguacil, y el Rosalino, el Encargado, y el Malvino, y el Mamés, el Mudo, y el Antoliano y el señor Rufo, el Centenario, con su hija la Simeona, y al entrar ellos, el Virgilio se había arrancado con mucho sentimiento y todos escuchaban boquiabiertos y al concluir le ovacionaron y el Virgilio, para disimular su azoramiento, distribuyó entre la concurrencia unos muerdos de pan tostado y unas copas de aguardiente. La lumbre chisporroteaba al fondo y sobre la mesa y los vasares la señora Clo había dispuesto, ordenadamente, la cebolla, el pan migado, el arroz y el azúcar para las morcillas. Al pie del fogón, donde se alineaban por tamaños los cuchillos, había un barreñón, tres herradas y una caldera de cobre brillante para derretir la manteca.

En el corral, los hombres se despojaron de las chaquetas de pana y se arremangaron las camisas a pesar de la escarcha y de que el aliento se congelaba en el aire. El Centenario, en el centro del grupo, arrastraba pesadamente los pies y se frotaba una mano con otra mientras salmodiaba: "En martes ni tu hijo cases ni tu cerdo mates." La señora Clo se volvió irritada al oírle: "Déjate de monsergas. Y si no te gusta, te largas." Luego se fue derecha a su marido, que se había arremangado como los demás y mostraba unos bracitos blancos y sin vello, y le dijo: "Tú no, Virgilio. Podrías enfriarte."

El Antoliano abrió la cochiquera y tan pronto el marrano asomó la cabeza le prendió por una oreja con su mano de hierro y le obligó a tumbarse de costado, ayudado por el Malvino, el Pruden y el José Luis. Los chiquillos, al ver derribado el cochino — que bramaba como un condenado y a cada berrido se le formaba en torno al hocico una nube de vapor —, se envalentonaron y comenzaron a tirarle del rabo y a propinarle puntapiés en la barriga. Luego, entre seis hombres, tendieron al animal en el banco y el Nini le auscultó, trazó una cruz con un pedazo de yeso en el corazón y cuando el tío Ratero acuchilló con la misma firmeza con que clavaba la pincha en el cauce, el niño volvió la espalda y fue contando, uno a uno, los gruñidos hasta tres. De pronto, el Pruden voceó:

—¡Ya palmó!

El Nini, entonces, dio media vuelta, se aproximó al cerdo y, con dedos expeditos, introdujo una hoja de berza en el ojal sanguinolento para reprimir la hemorragia y, finalmente, abrió la boca del animal y le puso una piedra dentro.

Los hombres hacían corro en derredor suyo y las mujeres cuchicheaban más atrás. Se oyó apagadamente la voz de la Sabina:

—¡Qué condenado crío! Cada vez que le veo así me recuerda a Jesús entre los doctores.

El Nini procuraba ahuyentar el recuerdo de la abuela Iluminada para no cometer errores. Diestramente forró el cadáver del animal con paja de centeno y la prendió fuego; tomó una brazada ardiendo y fue quemando meticulosamente las oquedades de los sobacos, las pezuñas y las orejas. Se alzó un desagradable olor a chamusquina y, al concluir, el Mamertito, el chico del Pruden, y los sobrinos de la señora Clo, descalzaron al bicho y comieron las chitas.

Había llegado el momento de la prueba, no porque el sajar al cerdo fuera tarea difícil, sino porque en esta coyuntura la referencia a la abuela Iluminada era inevitable. Al Nini le tembló ligeramente la mano que empuñaba el cuchillo cuando el Malvino voceó a su espalda:

—¡Ojo, Nini, tu abuela en este trance nunca hizo mierda!

El niño trazó mentalmente una línea equidistante de las mamas y tiró la bisectriz de la papada al ano sin vacilar. Luego, al dividir delicadamente la telilla intestinal de un solo tajo, le rodeó un murmullo de admiración. El hedor de los intestinos era fuerte y nauseabundo y él los volcó en herradas distintas y, para terminar, introdujo en la abertura dos estacas haciendo cuña. Al cabo, el Antoliano y el Malvino le ayudaron a colgar el marrano boca abajo. Del hocico escurría un hilillo de sangre fluida que iba formando un pequeño charco rojizo sobre las lajas escarchadas del corral.

La señora Clo se aproximó al Nini, que se lavaba las manos en una herrada, y le dijo cálidamente:

—Trabajas más aprisa y más por lo fino que tu abuela, hijo.

El Nini se secó en los pantalones. Preguntó:

—¿Habrá que bajar al descuartizado, señora Clo?

Ella tomó una herrada de cada mano:

—Deja, para eso ya me apaño — dijo.

Se dirigió hacia la casa donde acababan de entrar los hombres y desde la puerta voceó, ladeando un poco la cabeza:

—Pasa a comer un cacho con los hombres, Nini.

En la cocina los invitados hablaban y reían sin fundamento, excepto el tío Ratero que miraba a unos y otros estúpidamente, sin comprenderlos. Las narices y las orejas eran de un rojo bermellón, pero ello no impedía que los hombres se pasaran la bota y la bandeja sin descanso. De súbito, el Pruden, sin venir a qué,* o tal vez porque por San Dámaso había llovido y ahora lucía el sol, soltó una risotada y después se dirigió al Nini en un empeño obstinado por comunicarle su euforia:

—¿Es que no sabes reír, Nini?— dijo.

—Sí sé.

—Entonces, ¿por qué no ríes? Échate una carcajada, leche.

El niño le miraba fija, serenamente:

—¿A santo de qué?* — dijo.

El Pruden tornó a reír, esta vez forzadamente. Luego miró a uno y otro, como esperando apoyo, mas como todos rehuyeran su mirada, bajó los ojos y añadió oscuramente:

—¡Qué sé yo a santo de qué! Nadie necesita un motivo para reír, creo yo.*

6

Pero el Nini reía a menudo aunque nunca lo hiciera a tontas y a locas* como los hombres en las matanzas, a como cuando se emborrachaban en la taberna del Malvino, o como cuando veían caer el agua del cielo después de esperarla ansiosamente durante meses enteros. Tampoco reía como Matías Celemín, el Furtivo, cada vez que se dirigía a él, frunciendo en mil pliegues su piel curtida como la de un elefante y mostrando amenazadoramente sus dientes carniceros.

El Nini no experimentaba por el Furtivo la menor simpatía. El niño aborrecía la muerte, en particular la muerte airada y alevosa, y el Furtivo se jactaba de ser un campeón en este aspecto. En puridad, a Matías Celemín le empujaron las circunstancias. Y si tuvo alguna vez instintos carniceros, los ocultó celosamente hasta después de la guerra. Pero la guerra truncó muchas vocaciones y acorchó muchas sensibilidades y determinó muchos destinos, entre otros el de Matías Celemín, el Furtivo.

Antes de la guerra, Matías Celemín salía a las licitaciones de los pueblos próximos y remataba tranquilamente por un pinar albar cuatro o cinco mil reales. El Furtivo prejuzgaba que no se cogería los dedos* porque él sabía barajar en su cabeza hasta cinco mil reales y sumar y restar de ellos la cuenta de los apaleadores* y, en definitiva, si sacaría o no de su inversión algún provecho. Pero llegó la guerra y la gente empezó a contar por pesetas* y en las licitaciones se pujaba por veinte y hasta por treinta mil y a esas cifras él no alcanzaba porque además había de multiplicarlas por cuatro para reducirlas a reales, que era la unidad que manejaba; en las subastas se le llenaba la cabeza como de humo y no osaba salir. Empezó a amilanarse y a encogerse. No bastaba que le dijeran: "Matías, la vida está diez veces."* El Furtivo, pasando de los cinco mil reales, era un ser inútil, y fue entonces cuando se dijo: "Matías, por una perdiz te dan cien reales limpios de polvo y paja* y cuatrocientos por un raposo, y no digamos nada* por un tejo." Y, de repente, se sintió capaz de pensar tan derecha o tan torcidamente como los raposos y los tejos, y aun de jugársela. Y se sintió capaz, asimismo, de calcular el precio de un cartucho fabricando la pólvora en casa con clorato y azúcar y cargándole con cabezas de clavos. Y a partir de aquel día se le empezó a afilar la mirada y a curtírsele la piel, y en el pueblo, cuando alguien le mentaba, decían: "Uy, ése." Y doña Resu, el Undécimo Mandamiento, era aún más contundente y decía que era un vago y un maleante, un perdido como los de las cuevas y como los extremeños.

Matías Celemín, el Furtivo, solía velar de noche y dormir de día. La aurora le sorprendía generalmente en el páramo, en la línea del monte, y para esa hora ya tenía colocados media docena de lazos para las liebres que regresaban del campo, un cepo para el raposo y un puñado de lanchas y alares en los pasos de la perdiz. A veces aprovechaba el carro de la Simeona o el Fordson del Poderoso, para arrimarse a un bando de avutardas y cobrar un par de piezas de postín. El Furtivo no respetaba leyes ni reglamentos y en primavera y verano salía al campo con la escopeta al hombro como si tal cosa* y si acaso tropezaba con Frutos, el Jurado, le decía: "Voy a alimañas,* Frutos, ya lo sabes." Y Frutos, el Jurado, se limitaba a decir: "Ya, ya",* y le guiñaba un ojo. Para Frutos, el Jurado, la intemperie era insana porque el sol se come la salud de los hombres lo mismo que los colores de los vestidos de las muchachas y, por esta razón, se pasaba las horas muertas donde el Malvino jugando al dominó.

Con frecuencia, la astucia del Furtivo era insuficiente, y, entonces, recurría al Nini:

—Nini, bergante, dime dónde anda el tejo. Un duro te doy si aciertas.

O bien:

—Nini, bergante, llevo una semana tras el raposo* y no le pongo la vista encima. ¿Le viste tú?

El niño se encogía de hombros sin rechistar. El Furtivo, entonces, le zarandeaba brutalmente y le decía:

—¡Demonio de crío! ¿Es que nadie te ha enseñado a reír?

Pero el Nini sí sabía reír, aunque solía hacerlo a solas y tenuemente y, por descontado, a impulso de algún razonable motivo. Llegada la época del apareamiento, el niño subía frecuentemente al monte de noche, y, al amanecer, cuando los trigos verdes recién escardados se peinaban con la primera brisa, imitaba el áspero chillido de las liebres y los animales del campo acudían a su llamada, mientras el Furtivo, del otro lado de la vaguada, renegaba de su espera inútil. El Nini reía arteramente y volvía a reír para sus adentros* cuando, de regreso, se hacía el encontradizo con el Furtivo y Matías le decía malhumorado:

—¿De dónde vienes, bergante?

—De coger nícalos. ¿Hiciste algo?

—Nada. Una condenada liebre no hacía más que llamar desde la vaguada y se llevó el campo.

Repentinamente el Furtivo se volvía a él, receloso:

—No sabrás* tú por casualidad hacer la chilla, ¿verdad, Nini?

—No. ¿Por qué?

—Por nada.

En otras ocasiones, si el Furtivo salía con la Mita, la galga, el Nini se ocultaba, camino del perdedero, y cuando la perra llegaba jadeante, tras de la liebre, él, desde su escondrijo, la amedrentaba con una vara y la Mita, que era cobarde, como todos los galgos, abandonaba su presa y reculaba. El Nini, el chiquillo, también reía silenciosamente entonces.

En todo caso, el Nini sabía reír sin necesidad de jugársela al Furtivo. Durante las lunas de primavera, el niño gustaba de salir al campo y agazapado en las junqueras de la ribera veía al raposo descender al prado a purgarse aprovechando el plenilunio que inundaba la cuenca de una irreal, fosforescente claridad lechosa. El zorro se comportaba espontáneamente, sin recelar su presencia. Pastaba cansinamente la rala hierba de la ribera y, de vez en cuando, erguía la hermosa cabeza y escuchaba atentamente durante un rato. Con frecuencia, el destello de la luna hacía relampaguear con un brillo verde claro sus rasgados ojos y, en esos casos, el animal parecía una sobrenatural aparición. Una vez, el Nini abandonó gritando su escondrijo cuando el zorro, aculado en el prado, se rascaba confiadamente y el animal, al verse sorprendido, dio un brinco gigantesco y huyó, espolvoreando con el rabo su orina pestilente. El niño reía a carcajadas mientras le perseguía a través de las junqueras y los sembrados.

Otras noches el Nini, oculto tras una mata de encina, en algún claro del monte, observaba a los conejos, rebozados de luna, corretear entre la maleza levantando sus rabitos blancos. De vez en cuando asomaba el turón o la comadreja y entonces se producía una frenética desbandada. En la época de celo, los machos de las liebres se peleaban sañudamente ante sus ojos, mientras la hembra aguardaba al vencedor, tranquilamente aculada en un extremo del claro. Y una vez concluida la pelea, cuando el macho triunfante se encaminaba hacia ella, el Nini remedaba la chilla y el animal se revolvía, las manos levantadas, en espera de un nuevo adversario. Había noches, a comienzos de primavera, en que se reunían en el claro hasta media docena de machos, y entonces la pelea adquiría caracteres épicos. Una vez presenció el niño cómo un macho arrancaba de cuajo la oreja a otro de un mordisco feroz y el agudo llanto del animal herido ponía en el monte silencioso, bajo la luz plateada de la luna, una nota patética.

Para San Higinio, Matías Celemín, el Furtivo, cobró un hermoso ejemplar de zorro. Por esas fechas habían terminado las matanzas y transcurrido las Pascuas, pero el clima seguía áspero y por las mañanas las tierras amanecían blancas como después de una nevada. Aparte mover el estiércol y desmatar los sembrados, nadie tenía entonces nada que hacer en el campo excepto el Furtivo. Y éste, según descendía del páramo, aquella mañana, se desvió ligeramente sólo por el gusto de pasar junto a la cueva y mostrar al niño su presa:

—¡Nini! — voceó —. ¡Nini! ¡Mira lo que te traigo, bergante!

Era una hermosa raposa de piel rojiza con un insólito lunar blanco en la paletilla derecha. El Furtivo la apretó una mama y brotó un chorrito de un líquido consistente y blanquecino. Levantó luego el animal en alto para que el niño la contemplara a su capricho.

—Hembra y criando — dijo —. ¡Una fortuna! Si el Justito no se rasca el bolso en forma,* me largo con ella a la ciudad, ya ves.

Las pulgas abandonaban el cuerpo muerto y buscaban el calor de la mano del Furtivo. El Nini persiguió al hombre con la mirada, le vio atravesar el puentecillo de tablas, con la raposa muerta en la mano, y perderse dando voces tras el pajero del pueblo.

A la noche, tan pronto sintió dormir al tío Ratero, se levantó y tomó la trocha del monte. La Fa brincaba a su lado y, bajo el desmayado gajo de luna, la escarcha espejeaba en los linderones. La madriguera se abría en la cara norte de la vaguada y el niño se apostó tras una encina, la perra dócilmente enroscada bajo sus piernas. La escarcha le mordía, con minúsculas dentelladas, las yemas de los dedos y las orejas, y los engañapastores aleteaban blandamente por encima de él, muy cerca de su cabeza.

Al poco rato sintió gañir; era un quejido agudo como el de un conejo, pero más prolongado y lastimero. El Nini tragó media lengua y remedó el chillido repetidamente, con gran propiedad. Así se comunicaron hasta tres veces. Al cabo, a la indecisa luz de la luna, se recortó en la boca de la madriguera el rechoncho contorno de un zorrito de dos semanas, andando patosamente como si el airoso plumero del rabo entorpeciese sus movimientos.

En pocos días el zorrito se hizo a vivir con ellos. Las primeras noches lloraba y la Fa le gruñía con una mezcla de rivalidad atávica y celos domésticos, pero terminaron por hacerse buenos amigos. Dormían juntos en el regazo del niño, sobre las pajas, y a la mañana se peleaban amistosamente en la pequeña meseta de tomillos que daba acceso a la cueva. Pronto se corrió la noticia por el pueblo* y la gente subía a ver el zorrito, mas, ante los extraños, el animal recobraba su instinto selvático y se recluía en el rincón más obscuro del antro, y miraba de través y mostraba los colmillos.

Decía Matías Celemín, el Furtivo:

—¡Qué negocio, Nini, bergante! A éste me lo zampo yo.

A las dos semanas el zorrito ya comía en la mano del niño, y cuando éste regresaba de cazar ratas el animal le recibía lamiéndole las sucias piernas y agitando efusivamente el rabo. Por la noche, mientras el tío Ratero guisaba una patata con una raspa de bacalao, el niño, el perro y el zorro jugaban a la luz del carburo, hechos un ovillo, y el Nini, en esos casos, reía sin rebozo. Por las mañanas, a pesar de que el zorrito se hizo a comer de todo, el Nini le traía una picaza para agasajarle y al verle desplumar el ave con su afilado y húmedo hocico, el niño sonreía complacidamente.

La Simeona le decía a doña Resu, el Undécimo Mandamiento, a la puerta de la iglesia, comentando el suceso de la cueva:

—Es la primera vez que veo a un raposo hacerse a vivir como los hombres.

Pero doña Resu se encrespaba:

—Querrás decir* que es la primera vez que ves a un hombre y un niño hacerse a vivir como raposos.

El Nini temía que, al crecer, el zorrito sintiera la llamada del campo y le abandonase, aunque de momento* el animal apenas se separaba de la cueva, y el niño, cada vez que salía, le hacía una serie de recomendaciones y el zorrito le miraba inteligentemente con sus rasgadas pupilas, como si le comprendiese.

Una mañana, el chiquillo oyó una detonación mientras cazaba en

el cauce. Enloquecido, echó a correr hacia la cueva y antes de llegar
divisó al Furtivo que descendía a largas zancadas por la cárcava con
una mano oculta en la espalda y riendo a carcajadas:

—Ja, ja, ja, Nini, bergante, ¿a que no sabes* qué te traigo hoy? ¿A
que no?

El niño miraba espantado la mano que poco a poco se iba descu-
briendo y, finalmente, Matías Celemín le mostró el cadáver del zorrito
todavía caliente. El Nini no pestañeó, pero cuando el Furtivo se lanzó
a correr cárcava abajo, se agachó en los cascajos y comenzó a cantear-
le furiosmente. El Furtivo brincaba, haciendo eses, como un animal
herido, sin cesar de reír agitando en el aire, como un trofeo, el
cadáver del zorrito. Y cuando se refugió, al fin, tras el pajero del
pueblo, aún se lo mostró una vez más, lamentablemente desmayado,
sobre los tubos de la escopeta.

7

A medida que se adentraba el invierno, el pajero del común iba
mermando. Los hombres y las mujeres del pueblo se llegaban a él con
los asnos y acarreaban la paja hasta sus hogares. Una vez allí la mezclaban con grano para el ganado, o la hacían estiércol en las cuadras, o
simplemente la quemaban en las glorias o las cocinas para protegerse
de la intemperie. De este modo, al finalizar diciembre, el Nini
divisaba desde la cueva, por encima del pajero, el anticuado potro
donde se herraron las caballerías en los distantes tiempos en que las
hubo en el pueblo.

Por San Aberico, antes de concluir enero, se desencadenó la
cellisca. El Nini la vio venir de frente, entre los cerros Chato y
Cantamañanas, avanzando sombría y solemne, desflecándose sobre
las colinas. En pocas horas la nube entoldó la cuenca y la asaeteó con
un punzante aguanieve. Los desnudos tesos, recortados sobre el
cielo plomizo, semejaban dunas de azúcar, de una claridad deslumbrante. Por la noche, la cellisca, baqueteada por el viento, resaltaba
sobre las cuatro agónicas lámparas del pueblo, y parecía provenir ora
de la tierra, ora del cielo.

El Nini observaba en silencio el desolado panorama. Tras él, el tío

Ratero hurgaba en el hogar. El tío Ratero ante el fuego se relajaba y al avivarle,* o dividirle, o concentrar, o aventar las brasas, movía los labios y sonreía. A veces, excepcionalmente, salía a recorrer los tesos sacudidos por la cellisca y, en esos casos, como cuando soplaba el matacabras, se amarraba la sucia boina capona con un cordel, con la lazada bajo la barbilla, como hacía en tiempos el abuelo Román.

Para poder encender fuego dentro de la cueva, el tío Ratero horadó los cuatro metros de tierra del techo con un tubo herrumbroso que le proporcionó Rosalino, el Encargado. El Rosalino le advirtió entonces: "Ojo, Ratero, no sea la cueva tu tumba." Pero él se las ingenió para perforar la masa de tierra sin producir en el techo más que una ligera resquebrajadura que apeó, con un puntal primitivo. Ahora, el tubo herrumbroso humeaba locamente entre la cellisca y el tío Ratero, dentro de la cueva, observaba las lengüetas agresivas y cambiantes de las llamas, arrullado por los breves estallidos de los brotes húmedos. La perra, alebrada junto a la lumbre, emitía, de vez en cuando, un apagado ronquido. Llegada la noche, el tío Ratero mataba la llama, pero dejaba la brasa y al tibio calor del rescoldo dormían los tres sobre las pajas, el niño en el regazo del hombre, la perra en el regazo del niño y, mientras el zorrito fue otro compañero, el zorro en el ragazo de la perra. El José Luis, el Alguacil, les presagiaba calamidades sin cuento: "Ratero — decía —, cualquier noche se prende la paja y os achicharráis ahí dentro como conejos". El tío Ratero escuchaba con su sonrisa socarrona, escépticamente, porque sabía, primero, que el fuego era su amigo y no podía jugársela, y, segundo, que el José Luis, el Alguacil, no era más que un mandado de Justito, el Alcalde, y que Justito, al Alcalde, había prometido al Jefe terminar con la vergüenza de las cuevas.

En estas circunstancias, el Nini respetaba el silencio del Ratero. Sabía que todo intento de plática con él resultaría inútil, y no por hosquedad suya, sino porque el hecho de pronunciar más de cuatro palabras seguidas o de enlazar dos ideas en una sola frase, le fatigaba el cerebro. El niño bautizó Fa a la perra, aunque prefería otros nombres más sonoros y rimbombantes, por ahorrarle fatiga al Ratero. Tan sólo cuando el Ratero, por desentumecer la lengua, soltaba una frase aislada, el niño correspondía:

—Esta perra está ya vieja.

—Por eso sabe.*

—No tiene vientos.

—Deje. Todavía las agarra.

Luego tornaba el silencio y el quedo pespuntear de la cellisca sobre el teso y el gemido del viento se entreveraban con los chasquidos de la hoguera.

Una mañana, tres después de San Aberico, el Nini se asomó a la cueva y divisó una diminuta figura encorvada atravesando la Era, camino del puentecillo:

—El Antoliano — dijo.

Y se entretuvo viéndole luchar con el viento que concentraba los diminutos copos oblicuos sobre su rostro y le obligaba a inclinar la cabeza contra la ladera. Cuando entró en la cueva se incorporó, hinchó los pulmones y se sacudió la pelliza con sus enormes manazas. Dijo el Ratero, sin moverse de junto al fuego:

—¿Dónde vas con la que cae?

—Vengo* — dijo el Antoliano, sentándose junto a la perra, que se incorporó y buscó un rincón oscuro, donde nadie la molestase.

—¿Qué te trae?

El Antoliano extendió sus manos ante las llamas:

—El Justito — dijo —. Va a largarte de la cueva.

—¿Otra vez?

—En cuanto escampe subirá, ya te lo advierto.

El Ratero encogió los hombros:

—La cueva es mía* — dijo.

El Justito visitaba con frecuencia a Fito Solórzano, el Gobernador, en la ciudad, y le llamaba Jefe. Y Fito, el Jefe, le decía:

—Justo, el día que liquides el asunto de las cuevas, avisa. Ten en cuenta que no te dice esto Fito Solórzano, ni tu Jefe Provincial, sino el Gobernador Civil.*

Fito Solórzano y Justo Fadrique se hicieron amigos en las trincheras, cuando la guerra, y ahora, cada vez que Fito Solórzano le encarecía que resolviese el enojoso asunto de las cuevas, la roncha de su frente se empequeñecía y se tornaba violácea y se diría que palpitaba, con unos latidos diminutos, como un pequeño corazón:

—Déjalo de mi mano,* Jefe.

De regreso, ya en el pueblo, Justito, el Alcalde, le preguntaba expectante a José Luis, el Alguacil:

—¿Qué piensas tú que quiere decirme el Jefe cuando sale con que lo de las cuevas no me lo dice Fito Solórzano, ni el Jefe Provincial, sino el Gobernador Civil?

El José Luis respondía invariablemente:

—Que te va a recompensar, eso está claro.

Mas en casa, la Columba, su mujer, le apremiaba:

—Justo — le decía —, ¿es que no vamos a salir en toda la vida de este condenado agujero?

La roncha de la frente de Justito se agrandaba y enrojecía como el cinabrio:

—¿Y qué puedo hacerle yo?* — decía.

La Columba se ponía de jarras y voceaba:

—¡Desahuciar a ese desgraciado! Para eso eres la autoridad.

Pero Justo Fadrique, por instinto, detestaba la violencia. Intuía que, tarde o temprano, la violencia termina por volverse contra uno.

Por San Lesmes, sin embargo, el José Luis, el Alguacil, le brindó una oportunidad:

—La cueva ésa amenaza ruina — dijo —. Si largas al Ratero es por su bien.

Volar las otras tres cuevas fue asunto sencillo. La Iluminada y el Román murieron el mismo día y el Abundio abandonó el pueblo sin dejar señas. La Sagrario, la Gitana, y el Mamés, el Mudo, se consideraron afortunados al poder cambiar su cueva por una de las casitas de la Era Vieja, con tres piezas y soleadas, que rentaba veinte duros al mes. Pero para el tío Ratero cuatrocientos reales seguían siendo una fortuna.

Por San Severo se fue la cellisca y bajaron las nieblas. De ordinario se trataba de una niebla inmóvil, pertinaz y pegajosa, que poblaba la cuenca de extrañas resonancias y que, en la alta noche, hacía especialmente opaco el torturado silencio de la paramera. Mas, otras veces, se la veía caminar entre los tesos como un espectro, aligerándose y adensándose alternativamente, y en esos casos parecía hacerse visible la rotación de la Tierra. Bajo la niebla, las urracas y los cuervos encorpaban, se hacían más huecos y asequibles y se arrancaban con un graznido destemplado, mezcla de sorpresa e irritación. El pueblo, desde la cueva, componía una decoración huidiza, fantasmal, que, en los crepúsculos, desaparecía eclipsado por la niebla.

Para San Andrés Corsino el tiempo despejó y los campos irrumpieron repentinamente con los cereales apuntados; los trigos de un verde ralo, traslúcido, mientras las cebadas formaban una alfombra densa, de un verde profundo. Bajo un sol aún pálido e invernal, las aves se desperezaban sorprendidas y miraban en torno incrédulas, antes de lanzarse al espacio. Y con ellas se desperezaron Justito, el Alcalde, José Luis, el Alguacil y Frutos, el Jurado, que hacía las veces de Pregonero. Y el Nini, al verles franquear el puentecillo de tablas, tan solemnes y envarados con sus trajes de ceremonia, recordó la vez que otro grupo atrabiliario, presidido por un hombrecillo enlutado, atravesó el puentecillo para llevarse a su madre al manicomio de la ciudad. El hombrecillo enlutado decía con mucha prosopopeya Instituto Psiquiátrico en lugar de manicomio, pero, de una u otra manera, la Marcela, su madre, no recobró la razón, ni recobró sus tesos, ni recobró la libertad.

El Nini les vio llegar resollando cárcava arriba, mientras el dedo pulgar de su pie derecho acariciaba mecánicamente a contrapelo* a la perra enroscada a sus pies. La visera negra de la gorra del Frutos, el Pregonero, rebrillaba como si sudase. Y tan pronto se vieron todos en la meseta de tomillos, el Justito y el José Luis se pusieron como firmes, sin levantar los ojos del suelo, y el Justito le dijo al Frutos bruscamente:

—Léelo, anda.

El Frutos desenrolló un papel y leyó a trompicones el acuerdo de la Corporación de desalojar la cueva del tío Ratero por razones de seguridad. Al terminar, el Frutos miró para el Alcalde, y el Justito, sin perder la compostura, dijo:

—Ya oíste, Ratero, es la ley.

El tío Ratero escupió y se frotó una mano con otra. Les miraba uno a uno, divertido, como si todo aquello fuera una comedia.

—No me voy — dijo de pronto.

—¿Que no te vas?*

—No. La cueva es mía.

La roncha de la frente de Justito, el Alcalde, se encendió súbitamente:

—He hecho público el desahucio — voceó —. Tu cueva amenaza ruina y yo soy el alcalde y tengo atribuciones.

—¿Ruina? — dijo el Ratero.

Justito señaló el puntal y la resquebrajadura.

—Es la chimenea — agregó el Ratero.

—Ya lo sé que es la chimenea. Pero un día se desprende una tonelada de tierra y te sepulta a ti y al chico, ya ves qué cosas.*

El tío Ratero sonrió estúpidamente:

—Más tendremos — dijo.

—¿Más?

—Tierra encima, digo.

El José Luis, el Alguacil, intervino:

—Ratero — dijo —. Por las buenas o por las malas,* tendrás que desalojar.

El tío Ratero le miró desdeñosamente:

—¿Tú? — dijo. ¡Ni con cinco dedos!*

Al José Luis le faltaba el dedo índice de la mano derecha. El dedo se lo cercenó una vez un burro de una tarascada, pero el José Luis, lejos de amilanarse, le devolvió el mordisco y le arrancó al animal una tajada del belfo superior. En ocasiones, cuando salía la conversación donde el Malvino, aseguraba que los labios de burro, al menos en crudo, sabían a nícalos fríos y sin sal. En todo caso, el asno del José Luis se quedó de por vida con los dientes al aire como si continuamente sonriese.

Justito, el Alcalde, se impacientó:

—Mira, Ratero — dijo —. Soy el Alcalde y tengo atribuciones. Por si algo faltara,* he hecho público el desahucio. Así que ya lo sabes, dentro de dos semanas te vuelo la cueva como me llamo Justo.* Te lo anuncio delante de dos testigos.

Por San Sabino, cuando retornó a la cueva la comisión, batía los tesos un vientecillo racheado y los trigos y las cebadas ondeaban sobre los surcos como un mar. El Frutos, el Jurado, iba en cabeza y portaba en la mano los cartuchos de la dinamita y la mecha enrollada a la cintura. Al iniciar la cárcava, el Nini les envíscó la perra y el Frutos se enredó en el animal y rodó hasta el camino jurando a voz en cuello. Para entonces, el Ratero había hablado ya con el Antoliano, y así que el Justito le conminó a abandonar la cueva, se puso a repetir como un disco rayado: "Por escrito, por escrito."* El Justito miró para el José Luis, que entendía algo de leyes, y el José Luis asintió y entonces se retiraron.

Al día siguiente, el Justito le pasó una comunicación al tío Ratero concediéndole otro plazo de quince días. Para San Sergio concluyó el plazo y a media mañana irrumpió de nuevo en la cueva la comisión, pero así que vocearon en la puerta, el Nini respondió desde dentro que aquella era su casa y si entraban por la fuerza tendrían que vérselas con el señor juez. El Justito miró para el José Luis y el José Luis meneó la cabeza y dijo en un murmullo: "Allanamiento; en efecto es un delito."*

Al día siguiente, San Valero, ante Fito Solórzano, el Jefe, Justito casi lloraba. La mancha morada de la frente le latía como un corazón:

—No puedo con ese hombre, Jefe. Mientras él viva tendrás cuevas en la provincia.*

Fito Solórzano, con su prematura calva rosada y sus manos regordetas jugueteando con la escribanía trataba de permanecer sereno. Meditó unos segundos antes de hablar, metiéndose dos dedos en los lacrimales. Al cabo, dijo con ostentosa humildad:

—Si el día de mañana* queda algo de mi gestión al frente de la provincia, cosa que no es fácil, será el haber resuelto* el problema de las cuevas. Tú volaste tres en tu término, Justo, ya lo sé; pero no se trata de eso ahora. Queda una cueva y mientras yo no pueda decirle al Ministro: "Señor Ministro, no queda una sola cueva en mi provincia" es como si no hubieras hecho nada. Me comprendes, ¿no es verdad?

Justito asintió. Parecía un escolar sufriendo la reprimenda del maestro. Fito Solórzano, el Jefe, dijo de pronto:

—Un hombre que vive en una cueva y no dispone de veinte duros para casa viene a ser un vagabundo, ¿no? Tráemele, y le encierro en el Refugio de Indigentes sin más contemplaciones.

Justito adelantó tímidamente una mano:

—Aguarda, Jefe. Ese hombre no pordiosea. Tiene su oficio.

—¿Qué hace?

—Caza ratas.

—¿Es eso un oficio? ¿Para qué quiere las ratas?

—Las vende.

—¿Y quién compra ratas en tu pueblo?

—La gente. Se las come.

—¿Coméis ratas en tu pueblo?

—Son buenas, Jefe, por éstas.* Fritas con una pinta de vinagre son más finas que codornices.

Fito Solórzano estalló de pronto:

—¡Eso no lo puedo tolerar! ¡Eso es un delito contra la Salubridad Pública!

El Justito trataba de aplacarle:

—En la cuenca todos las comen, Jefe. Y si te pones a ver,* ¿no comemos conejos? — Hizo una pausa. Luego agregó —: Una rata lo mismo, es cuestión de costumbre.

Fito Solórzano golpeó la mesa con el puño cerrado y saltaron las piezas de la escribanía:

—¿Para qué quiero Alcaldes y Jefes Locales si en vez de resolver los problemas vienen todo el tiempo a creármelos? ¡Busca tú una fórmula, Justo! ¡Coloca a ese hombre en alguna parte, haz lo que sea!* ¡Pero piensa tú, tú, con tu pobre cabeza, no con la mía!

Justito reculaba hacia la puerta:

—De acuerdo, Jefe. Déjalo de mi mano.

Fito Solórzano cambió repentinamente de tono y añadió cuando Justito, vuelto de espaldas, abría ya la puerta del despacho:

—Y cuando liquides este asunto, avisa. Ten en cuenta que no te dice esto Fito Solórzano ni tu Jefe Provincial, sino el Gobernador Civil.

8

Por San Baldomero el Nini descubrió sobre el Pezón de Torrecillórigo el primer bando de avefrías desfilando precipitadamente hacia el sur. Durante tres días con sus tres noches, los bandos se sucedieron sin interrupción y el vuelo de las aves era cada vez más vivo y agitado. Volaban muy altas, componiendo una gran V sobre el impávido cielo azul, chirriando excitadamente con un estremecido deje de alarma.

Antaño, el Pezón de Torrecillórigo se llamó la Cotarra del Moro, pero la Marcela, la madre del Nini, la rebautizó pocos meses antes de dar con sus huesos en el manicomio. Ya desde el parto, la Marcela no quedó bien y cada vez que el Ratero la sorprendía mirando embobada para los cuetos y le decía: "¿Qué miras, Marcela?", ella ni respondía. Y únicamente si el Ratero la zarandeaba, ella balbucía al fin: "El Pezón de Torrecillórigo". Y señalaba el cono de la Cotarra del Moro, torvo y lóbrego como un volcán. "¿El Pezón?" — inquiría el Ratero, y ella agregaba: "Somos muchos a tirar de él. No da leche

c

para tantos". Meses después el tío Ratero sorprendió a su hermana aserrando una pata del taburete. "¿Qué haces, Marcela?" — le dijo. Y ella respondió: "El taburete banquea". Dijo él: "¿Banquea?". Y ella no respondió, pero a la noche había aserrado las cuatro patas hasta el asiento. Aún aguantó el tío Ratero unos años más. Por aquel tiempo el Nini ya había cumplido los seis y el Furtivo le decía cada vez que le encontraba: "Explícate, bergante. ¿Cómo es posible que la Marcela sea tu tía y tu madre al mismo tiempo?" — y se reía con un ruidoso estallido como si estuviera lleno de aire y, de repente, se deshinchase. Y el día que el tío Ratero se decidió a horadar el techo de la cueva con el tubo que le regalara* Rosalino, el Encargado, y le pidió a la Marcela arena para la mezcla, su hermana le aproximó la horca que sostenía a duras penas. "Toma" — dijo. "¿Cuál?" — dijo el Ratero. "Arena. ¿No pedías arena?" — dijo ella. "¿Arena?" — dijo el Ratero. Ella añadió: "Apura, que pesa". El Nini la miraba atónito y, al cabo, dijo: "Madre, ¿cómo va a coger usted arena con una horca?". Una semana después, por Santa Oliva haría cuatro años, se presentó en el pueblo un hombrecillo enlutado y se la llevó al manicomio de la ciudad, pero la Cotarra del Moro no volvió a recobrar su nombre y fue en adelante y para siempre jamás el Pezón de Torrecillórigo.

Ahora las avefrías sobrevolaban el Pezón y el Nini, el chiquillo, bajó al pueblo a informar al Centenario:

—No las veo pero las siento gruir — dijo el viejo —. Eso quiere decir nieve. Antes de siete días estará aquí.

El Centenario, con el trapo negro cubriéndole media cara, era como una reseca momia bajo el sol. Antes de ponerse el trapo, el niño le preguntó una tarde qué era aquello:

—Nada de cuidado; un granito canceroso — dijo el viejo sonriendo.

El Nini, cada vez que le asaltaba alguna duda sobre los hombres, o sobre los animales, o sobre las nubes, o sobre las plantas, o sobre el tiempo, acudía al Centenario. El tío Rufo, por encima de la experiencia, o tal vez a causa de ella, poseía una aguda perspicacia para matizar los fenómenos naturales, aunque para el Centenario, los gorjeos de los gorriones, o el sol en las vidrieras de la iglesia, o las nubes blancas del verano, no eran siempre una misma cosa.* En ocasiones, hablaba de su "viento de cuando rapaz",* o "del polvo de la era de cuando mozo" o de "su sol de viejo". Es decir que en las percepciones del Centenario jugaba un papel preferente la edad, la huella que produjeron en él, a determinada edad, las nubes, el sol, el viento o el polvo dorado de la trilla.

El Centenario sabía mucho de todo, a pesar de que los mozos y los chiquillos del pueblo no se arrimaban a él más que para reír de sus aspavientos nerviosos o para alzarle el trapo negro en un descuido y "verle la calavera" y hacer, luego, mofa de su enfermedad:

—Son jóvenes, pero eso se pasa — solía decirle al Nini, resignadamente, en esos casos, el Centenario.

La misma Simeona, su hija, no le guardaba al viejo ninguna consideración. Desde que el Centenario empezó a envejecer, la Simeona se hizo cargo de las casa y las labores. Ella atendía al ganado, sembraba, aricaba, escardaba, segaba, trillaba y acarreaba la paja. A causa de ello se hizo irritable, roñosa y suspicaz. El Undécimo Mandamiento afirmaba que todo el mundo se vuelve roñoso y suspicaz tan pronto advierte lo que cuesta ganar una peseta. No obstante, la Simeona se mostraba excesivamente irreductible para con su padre. En las contadas ocasiones en que comadreaba con sus convencinas decía: "Cuanto más viejo mas goloso,* no puedo con él". La señora Clo la miraba envidiosamente y comentaba: "Suerte la tuya, con lo mal que me come a mí el Virgilín".* Para la señora Clo, la del estanco, todas las preocupaciones se centraban ahora en el Virgilín. Le cuidaba como a un hijo y, por su gusto, le hubiera confinado en una jaula y hubiera colgado ésta de la viga de la tienda, como hizo en tiempos con los camachuelos.

La Simeona, en cambio, trataba a su padre desconsideradamente. Su desconfianza aumentaba por días y ahora, cada vez que se ausentaba de casa, trazaba una raya con lapicero en el reverso de la hogaza y metía el dedo en la cloaca de las gallinas, una por una, para cerciorarse de si el Centenario comía un cacho de pan o se merendaba algún huevo durante su ausencia. Al regreso decía:

—Ha de haber* tres huevos, padre; a ver dónde los ha puesto.

Y si acaso faltaba alguno, los gritos y los improperios rebasaban las últimas casas del pueblo y si el tiempo era quedo y, con mayor razón, si soplaba viento favorable, las voces ascendían hasta la cueva y el Nini se compungía y decía para sí: "Ya está la Simeona regañando al viejo".

De todos modos nadie podía decir nada de la Simeona, que a más de sostener sobre sus huesos un padre Centenario, una labranza y una casa, aún sacaba energías para la piadosa tarea de enterrar los muertos del lugar. Utilizaba para ello un carrito destartalado, arrastrado por un asnillo de muchos años al que la Sime apaleaba sin duelo cada vez que conducía a un difunto al camposanto. En la trasera del carro, amarraba al Duque, el perro, con un cordel tan corto que casi le ahorcaba. El animal gruñía, ladeando un poco la cabeza para evitar la tensión, pero si alguien le hacía alguna advertencia a la Simeona ella replicaba:

—Mejor. Así hasta al más desgraciado no le falta un perro que le llore.*

La Simeona juraba y maldecía como un hombre y en los últimos tiempos, al referirse a la voracidad de su padre, hacía escarnio del cáncer y decía: "El viejo tiene ahora que comer para dos".

El Centenario, aún trampeando, iba todavía de acá para allá, mas en las horas de sol, era fijo encontrarle sentado en el poyo de la trasera de su casa, ojos entornados, oxeando incansablemente unos pollos imaginarios. El Nini bajaba con frecuencia a buscar su compañía y a consultarle sus dudas o a oírle las viejas historias en las que inevitablemente volcaba sus nostalgias de "su sol de cuando rapaz", "el polvo de la era de cuando mozo", o "los inviernos de Alfonzo XII".*

Últimamente al Nini llegó a fascinarle aquel trapo negro que ocultaba parte de la nariz y la mejilla izquierda del tío Rufo, y, cada vez que se sentaba a su lado, experimentaba la tentación casi invencible de levantarlo. Era la suya la misma impaciencia que atosigaba a los rapaces del pueblo cuando, al iniciarse el otoño, aparecían los húngaros con los títeres en la plaza y llegada la hora* gritaban a coro: "¡Que son las cuatro, que se alce el trapo!" No obstante, el Nini dominaba la incitación; veneraba al viejo y de una manera inconsciente agradecía sus enseñanzas.

El Centenario le dijo por el Santo Ángel, cuando las avefrías sobrevolaban el Pezón de Torrecillórigo, que la nieve estaba próxima, tal vez a menos de una semana, y para San Victoriano, o sea, cinco días más tarde, los copos empezaron a descolgarse con silenciosa parsimonia y, en unas horas, la cuenca quedó convertida en una inmensa mortaja. La blancura lastimaba los ojos y los adobes del pueblo y las bardas que cobijaban las deleznables tapias de los corrales se hacían más ostensibles bajo la nieve. Pero la vida parecía haber huido del mundo y un silencio sobrecogedor, cernido y macizo como el de un camposanto, se desplomó sobre la cuenca.

Las alimañas se aletargaron en sus huras y los pájaros desconcertados se acurrucaban en la nieve hasta que el calor de sus cuerpos la fundía y tomaban, de nuevo, contacto con la tibieza de la tierra. Allí, en sus agujeros, permanecían inmóviles, asomando sus cabecitas de redondos ojos atónitos, oteando hambrientos en derredor. A veces, el Nini se distraía merodeando por las proximidades del pueblo y las urracas y los tordos y las alondras tardaban en arrancarse y, en última instancia lo hacían, pero tras un breve vuelo vertical, como un rebote, tornaban apresuradamente a sus yacijas.

Por San Simplicio, el niño y la perra sintieron la engañosa llamada de la nieve y salieron al campo. Sus pisadas crujían tenuemente, mas aquellos crujidos detonaban en el solemne silencio de la cuenca con una sorda opacidad. Ante sus ojos se abría un vasto, solitario y mudo planeta mineral y el niño lo recorría transido por la emoción del descubrimiento.* Dobló el Cerro Merino y al iniciar el ascenso de la ladera, el Nini atisbó el rastro de una liebre. Sus leves pisadas se definían nítidamente en la nieve intacta y el niño las siguió, la perra en sus talones, el hocico levantado, sin intentar siquiera rastrear. De pronto las huellas desaparecieron y el niño se detuvo y observó en torno y al divisar el matojo de encina doce metros más allá, sonrió tenuemente. Sabía, por su abuelo Román, que las liebres en la nieve ni se evaporan ni vuelan como dicen algunos cazadores supersticiosos; simplemente, para evitar que las huellas las delaten, dan un gran salto antes de agazaparse en su escondrijo. Por eso intuía que la liebre estaba allí, bajo el carrasco, y al avanzar hacia él con la sonrisa en los labios, gozándose en la sorpresa, brincó la liebre torpemente y el niño corrió tras ella, torpemente también, riendo y cayendo, mientras la perra ladraba a su lado. Al cabo el niño y la perra se detuvieron, en tanto la liebre se perdía tras una suave ondulación, los amarillos ojos dilatados por el pánico. Jadeante aún, el Nini experimentó una súbita reacción y se puso a orinar y la tierra oscura asomó en un pequeño corro bajo la nieve fundida. Poco más lejos se agachó y erigió en pocos minutos un monigote de nieve, le colocó su tapabocas y azuzó a la perra:

—Fa, mira, el Furtivo, ¡anda con él!*

Pero a la perra la asustaba el muñeco y reculaba ladrando, sin cesar de mirarle esquinadamente y, entonces, el niño formó unas bolas y le destruyó de cuatro pelotazos. Soltó una carcajada estridente y el cristalino eco que despertó su risa en la nieve le animó a repetir y, luego, a gritar una y otra vez, cada vez más fuerte. Experimentaba, al hacerlo, una grata sensación de plenitud. Ascendió la loma sin dejar de gritar y entonces divisó al Furtivo, en carne y hueso,* allá abajo, en la cuenca, recorriendo pesadamente los barbechos de la señora Clo. El Nini enmudeció y sintió recorrerle el cuerpo una oleada de ira. La ley prohibía cazar los días de nieve porque los animales rastreros denunciaban su presencia por la huellas y la perdiz no resistía más allá de un corto vuelo. Sin embargo, el Furtivo andaba allí y por si la nieve no fuera bastante, portaba la escopeta en guardia baja por si algo se arrancaba. El niño le vio venir hacia él e intentó rehuirle pero el Furtivo le atajó. Matías Celemín era práctico en andar por la nieve y viéndole de lejos deslizarse ágilmente contra la centelleante claridad de los tesos, parecía el único poblador del mundo. Al llegar a su altura, le dijo el Furtivo mostrándole sus aterradores dientes, carniceros:

—¿Eras tú quien* chillaba ahí arriba, bergante?

—Sí.

—Bien reías, ¿eh? Tú ríes cuando estás solo, como los locos.

El niño procuraba caminar de prisa porque la compañía del Furtivo le era ingrata. El morral del Furtivo abultaba como dos liebres.* Le dijo al Nini:

—¿No viste huellas, rapaz? ¿Dónde diablos se meten los tejos en este pueblo?

—No sé.

—No sé, no sé; apuesto a que sí lo sabes.*

El niño se encogió de hombros. Añadió el Furtivo:

—Os larga Justito de la cueva ¿eh? ¿Dónde os váis a meter, bergante? Si a un conejo le ciegas el bardo, a morir; ya se sabe.* Eso te va a pasar a ti por candar el pico.

De la loma descendían las pequeñas huellas de los pies descalzos del Nini junto a las de las enormes botazas claveteadas del Furtivo y las ingrávidas de la perra. La tierra, desolada y lívida, apenas abultada por las formas redondas de los cuetos, era como una superficie láctea en el momento de iniciar la ebullición.

El tío Ratero, acuclillado junto al fuego, levantó los ojos al oír los pasos del niño:

—¿Viste a ése? — dijo con reprimida avidez.

—No — dijo el niño.

—Malvino le vio.

—No es cierto — añadió el Nini —. No hay un alma en el campo.

La huidiza mirada del Ratero se afiló bajo los párpados y se clavó en las brasas, pero no dijo nada. También el niño guardó silencio. Desde hacía cuatro semanas el tío Ratero no pensaba en otra cosa sino en la competencia. El Nini intentaba a veces disuadirle, convencerle de que el arroyo era de todos, pero el Ratero se obcecaba en su testarudez salvaje: "Las ratas son mías; ése me las roba", decía; y resollaba de fatiga y exasperación.

Por San Melitón salió el sol y fundió la nieve y, al caer la tarde, apenas si unos deleznables retazos blancos circuían las faldas de los tesos en su vertiente norte. Esa anochecida se encamó, al fin, el Centenario, y el Nini, al enterarse, bajó un rato a hacerle compañía. Sobre el camastro pendía una lavativa y, a su lado, la pobre lámpara, y sobre la pobre lámpara un cromo de la Virgen. Le dijo el viejo sin volver la vista, sin mover un solo músculo de la cara:

—Esta tarde, antes de acostarme, quise oír el viento en los plumeros de las espadañas, como cuando mozo. Me tumbé junto al arroyo y aguardé, pero el viento no sonaba igual. Todo se va; nada se repite en la vida, hijo.

El niño comenzó a hablarle de la nieve y del Furtivo y de la liebre encamada bajo el carrasco y, finalmente, quedó en silencio, las pupilas en el trapo negro que ocultaba media cara del viejo. La respiración de éste era entrecortada y anhelante mas, al concluir el niño, no hizo comentario. A la tarde siguiente el Nini volvió junto a él, y, al anochecer, se incorporó y dio la lámpara de la cabecera del lecho. Durante una semana el Nini visitó diariamente al enfermo. Apenas cambiaban unas palabras, pero tan pronto el día agonizaba en la ventana, el Nini, sin que nadie se lo pidiera, encendía la luz. A la séptima noche, tan pronto el niño dio la luz, el Centenario agarró el trapo negro con dos dedos temblones, lo levantó y le dijo:

—Ven acá.

El corazón del Nini latía desacompasadamente. La cara del viejo bajo el trapo era un amasijo sanguinolento socavado en la misma carne y en la parte superior de la nariz, junto a la sien, amarilleaba el hueso. El Centenario rió sordamente y dijo al observar la faz descolorida del muchacho:

—¿No viste nunca la calavera de un hombre vivo?

—No — convino el niño.

El Centenario volvió a reír quedamente y dijo:

—A todos cuando muertos nos comen los bichos. Pero es igual, hijo. Yo soy ya tan viejo que los bichos no han tenido paciencia para aguardar.

9

Hacia San Segundo caían todos los años, desde hacía cuatro, por el pueblo los extremeños. Componían una abigarrada caravana con la recua de borricos enjaezados y llegaban cantando, como si en lugar de acabar de hacer quinientos kilómetros en diez días a uña de asno por caminos polvorientos, terminaran de emerger de un baño tibio tras un sueño reparador. La cuadrilla de extremeños se alojaba en los establos del Poderoso, a quien pagaban cinco reales diarios por cabeza y como permanecían en el pueblo casi seis meses y formaban una partida de doce, don Antero se embolsaba anualmente cerca de once mil reales por este concepto.

Doña Resu, el Undécimo Mandamiento, los sintió llegar y cerró de golpe la ventana:

—Ya están ésos aquí; Dios nos tenga de su mano* — le dijo a la Vito, la sirvienta.

Durante los dos primeros años, el Nini acompañó a los extremeños a talar el monte de la vaguada y desenraizar los matos de encina. Antes hicieron esto en Torrecillórigo, aunque ahora eran empleados del Estado dedicados a la ardua tarea de la repoblación forestal. La repoblación forestal era la obsesión de los hombres nuevos y cuando la guerra, apenas a las 24 horas de estallar,* se organizaron brigadas de voluntarios con el fin de convertir la escueta aridez de Castilla en un bosque frondoso. No había tarea más apremiante y los prohombres decían: "Los árboles regulan el clima, atraen las lluvias y forman el humus, o tierra vegetal. Hay, pues, que plantar árboles.

Hay que hacer la revolución. ¡Arriba el campo!" Y todos los hombres de todos los pueblos de la cuenca se desparramaron ilusionados, la azada al hombro, por las inhóspitas laderas. Pero llegó el sol de agosto y abrasó los tiernos brotes y los cerros siguieron mondos como calaveras.

Guadalupe, el capataz de los extremeños, que, pese a su nombre,* era un muchacho atezado y musculoso, con bruscos y ágiles ademanes de gitano, les dijo de entrada a los mozos del pueblo en la taberna de Malvino que venían dispuestos a convertir Castilla en un jardín. El Pruden se había sonreído escépticamente y el Guadalupe le dijo: "¿Es que no lo crees?" Y el Pruden respondió melancólicamente: "Sólo Dios hace milagros".

Los extremeños comenzaron el trabajo por la Cotarra Donalcio y en pocos meses la motearon de pimpollos, como la cara de un hombre picado de viruelas. Pero tan pronto concluyeron, un sol implacable derramó su fuego sobre la colina y los incipientes pinabetes comenzaron a amustiarse y a las dos semanas un setenta por ciento de los arbolitos trasplantados estaban resecos y chascaban al pisarlos como leña. Los supervivientes se defendieron unas semanas aún, pero al poco tiempo perecieron también calcinados* y la faz de la Cotarra Donalcio volvió a ser tan adusta y hosca como antes de dejar su huella allí los extremeños. El yeso cristalizado brillaba en el borde de las hoyas de greda, y Guadalupe, el capataz, al divisar los guiños del cerro desde los bajos juraba y decía:

—Todavía se cachondea el marica de él.

Hablaban de los cerros con rencor, pero, pese al estéril resultado, no cejaban en el empeño. A veces aparecía por el pueblo el ingeniero, que era un hombre campechano aunque con esa palidez que contagian las páginas de los libros a quien ha estudiado mucho* y, entonces, se reunía con los doce extremeños en la taberna de Malvino y les arengaba como el general a los soldados antes del combate:

—Extremeños — decía —, tened presente que hace cuatro siglos, un mono que entrara* en España por Gibraltar podía llegar al Pirineo saltando de rama en rama sin tocar tierra. Con vuestro entusiasmo, el país volverá a ser un inmenso bosque.

El Pruden y el Malvino cambiaban una mirada de inteligencia. Tras la visita del ingeniero, que bebía con ellos como un igual,* los extremeños acrecían sus esfuerzos, ahondaban las hoyas de cada pimpollo para que sirviera de recipiente a las aguas pluviales y les protegiera del matacabras, pero las lluvias no se presentaban y, al llegar julio, el pimpollo se asaba en el hoyo como un pollo en su propio jugo.

El Nini frecuentaba a los extremeños porque aparte de ser maestros en el arte de desarraigar una encina o de plantar un pinabete mediante un cortado movimiento de muñeca, le recordaban los tiempos de Torrecillórigo con el abuelo Abundio, cuando, al anochecer, en el almacén agujereado, narraban turbulentas historias de asesinados. De vez en cuando, se presentaba en el pueblo algún conocido:

—Nini, chaveta, ¿qué fue del abuelo?*

—Se fue.

—¿Dónde?

—Ni lo sé.*

—¡Condenado viejo! Con sus lavatorios no nos dejaba pegar ojo en toda la noche. ¿Recuerdas?

Pero en el pueblo no querían a los extremeños porque estimaban su labor inútil, impedían el acceso de las ovejas a las colinas y les atribuían toda clase de vicios. Durante su estancia los nativos disfrutaban de una absoluta impunidad. Ante cualquier desaguisado la gente decía:

—Habrán sido* los extremeños.

El Undécimo Mandamiento iba más lejos. Y si aparecía un billete de cinco duros en el cepo de la iglesia, o se tenía conocimiento de cualquier buena acción, decía:

—De seguro, los extremeños no han sido.

Pero el Nini sabía que los extremeños eran buena gente y con su herramienta, un cacho de pan y un cacho de tocino salvaban la jornada y no pedían más. El jornal marchaba íntegro para Extremadura donde durante seis largos meses les aguardaban pacientemente sus mujeres y sus hijos. Nada de esto modificaba la opinión del Undécimo Mandamiento para quien los extremeños, en cualquier circunstancia, eran unos individuos indeseables. Y si callaban, le parecían peligrosos; y si cantaban, ineducados. Y si al cruzar frente al almacén oía sus animados coros llamaba aparte al Guadalupe y le decía:

—Guadalupe, el undécimo no alborotar.*

Guadalupe, el capataz, se plantaba:

—¡Está bueno eso!* Y si no cantan ¿qué van a hacer, señora?

—Rezar. —

Guadalupe cruzaba sus atezados brazos sobre el pecho y meneaba la cabeza de arriba abajo, como queriendo demonstrar que callaba para no enconar más las cosas.

Por San Braulio, Doña Resu se topó en la plaza con el tío Ratero:

—Me alegro de verte, Ratero — le dijo —. ¿Sabes que el chico anda todo el tiempo entre los perdidos de los extremeños y bebe de la bota y oye palabrotas y cuentos obscenos?

—Déjele estar, doña Resu — respondió el Ratero con su sonrisa indescifrable.

—¿Eso dices tú?*

—¡Eso!

—¿Y no andaría mejor en la escuela que aprendiendo lo que no debe?

—Él ya sabe.

—¿Crees tú que sabe?

—Todos lo dicen.

—¿Todos? Y si ellos no saben de la misa la media* ¿cómo saben si saben los demás?

El Ratero metió un dedo bajo la boina y se rascó ásperamente el cogote. La voz de doña Resu adquirió, de súbito, un tono conciliador:

—Escucha, Ratero — agregó —. El Nini tiene luces naturales, ya lo creo que las tiene,* pero necesita una guía. Si el Nini se lo propusiera podría saber más que nadie en el pueblo.

El Undécimo Mandamiento consultó su relojito de pulsera e hizo un ademán de impaciencia:

—Llevo prisa, Ratero — terminó —. Algún día he de hablar contigo despacio.

No era ninguna novedad la mala opinión que el Nini le merecía a doña Resu, pero antes de llegar este año los extremeños, el Undécimo Mandamiento se limitaba a pensar mal de él o a regañarle tibiamente. Esto no impedía que apelara a sus servicios cuando le necesitaba, como aconteció, para San Ruperto y San Juan haría dos años, con el asunto de los conejos:

—Nini — le dijo entonces —. ¿no crían las conejas todos los meses?

—Así es, doña Resu.

—¿Qué le ocurre entonces a esta mía que lleva seis emparejada y como si no?*

El nini no respondió, abrió la conejera y examinó reflexivamente a los animales. Después de un rato, les encerró de nuevo, se incorporó y dijo gravemente:

—Son machos los dos, doña Resu.

El Undécimo Mandamiento se sofocó toda y le expulsó a empellones del corral.

Ya en vida de don Alcio Gago, su marido, doña Resu era inflexible y dominante. Don Alcio, por cosas de la tensión, se negaba a dar un paso, pero como recelaba de los caballos, doña Resu los adquiría en la ciudad, de los desechos de las funerarias. Los caballejos que tiraban de las carrozas eran animales dóciles, incapaces de una mala acción. A pesar de todo, don Alcio les respetaba la correa dorada y el plumero negro de la cabeza por si acaso al prescindir de estos aditamentos extrañaban la anomalía y se alborotaban. Y los campesinos, al cruzarse con él de esta guisa, se santiguaban porque presumían que un animal tan lúgubremente enjaezado, no podía acarrear más que desgracias. Al ponerse el sol, don Alcio solía detenerse sobre el Cerral y allí inmóvil, a contraluz, sobre el caballo empenachado, semejaba una aparición fantasmagórica.* A partir de entonces, el Cerral comenzó a llamarse la Cotarra Donalcio. Mas don Alcio, a pesar de la tensión, enterró cuatro caballerías antes de morir él, y al ocurrir esto doña Resu le llevó un luto riguroso, negándose incluso a participar en la fiesta de la Pascuilla y asistiendo durante dos años a misa los domingos a través de la rejilla del confesionario.

Don Ciro, que era el párroco de Torrecillórigo, que por necesidad binaba* en el pueblo, era demasiado joven y tímido para contradecirla: "Si su conciencia queda más tranquila, hágalo así", le decía. Don Ciro se presentaba los domingos sobre las once, en el tractor del Poderoso, y rezaba una misa sencilla y trataba de explicar sencillamente el Evangelio. El Mamertito, el chico del Pruden, que hacía de monaguillo, jamás tocaba segundas mientras no divisara desde el campanario la nube de polvo que levantaba en la carretera el Fordson del Poderoso.

El Mamertito desde muy niño empezó a decir que antes de dormirse se le aparecía San Gabriel. A los seis años se le aleló la cara y la

Sabina, su madre, decía que era a causa de las apariciones. Pero dos años después el rapaz se cayó del trillo y expulsó de la nariz un piñón con raíces y todo y mucha sangre y pus y, de este modo, se le avivó el semblante de nuevo y la Sabina, decepcionada, le voceó que no volviera a mentarle a San Gabriel porque le cruzaba* la cara de un bofetón.

Por San Jonás, doña Resu mandó llamar al Nini:

—Pasa, pequeño — le dijo —. La perra déjala fuera.

El niño la miró serenamente y dijo con aplomo:

—Si ella no entra, yo tampoco, doña Resu, ya lo sabe.

—Está bien. Entonces, hablaremos en el corral.

Pero se quedaron en el zaguán, sentados en una vieja arca de nogal tan alta, que los pies del Nini no alcanzaban el suelo. El Undécimo Mandamiento utilizaba esa tarde con él unos modales melifluos y reprimidos:

—Dime, hijo, ¿por qué andas siempre tan solo?

—No ando solo, doña Resu.

—¿Con quién, entonces?

—Con la perra.

—¡Alma de Dios!* ¿Es alguien un animal?

El Nini la miró sorprendido y no respondió. Prosiguió doña Resu:

—¿Y la escuela? ¿Por qué no vas a la escuela, Nini?

—¿Para qué?

—Mira qué preguntas. Para aprender.

—¿Se aprende en la escuela?

—¡Qué cosas! En la escuela se educa a los pequeños para que el día de mañana sean hombres de provecho.

Sonrió doña Resu al observar el desconcierto del niño y añadió:

—Escúchame. Los ignorantes del pueblo y los perdidos de los extremeños te dirán que sabes muchas cosas, pero tú no hagas caso. Si ellos no saben nada de nada ¿cómo saben si sabes tú?

Se miraron uno a otro en silencio y doña Resu, para no perder su ventaja inicial, agregó al fin:

—¿Sabes acaso, pequeño, lo que es la longanimidad?

El niño la miraba perplejo, con el mismo estupor con que dos tardes antes mirara al Rosalino cuando le pidió desde lo alto del Fordson que diese un golpecito al carburador porque la máquina rateaba. Como el Nini no se inmutara Rosalino le preguntó: "¿No sabes, acaso, dónde anda el carburador?" Finalmente el niño se encogió de hombros y dijo: "De eso no sé, señor Rosalino; eso es inventado."

Doña Resu le contemplaba ahora con un punto de orgullo, una sonrisa apenas esbozada en las comisuras de los labios:

—Di — insistió —. ¿Sabes, por casualidad, qué es la longanimidad?

—No — dijo bruscamente el niño.

La sonrisa de doña Resu floreció como una amapola:

—Si fueras a la escuela — dijo — sabrías esas cosas y más y el día de mañana serías un hombre de provecho.

Se abrió una pausa. Doña Resu preparaba una nueva ofensiva. La pasividad del niño, la ausencia de toda reacción empezaba a desconcertarla. Dijo de súbito:

—¿Conoces el auto grande de don Antero?

—Sí. El Rabino Grande dice que es macho.*

—Jesús,* qué disparate. ¿Es que un automóvil puede ser macho o hembra? ¿Eso dice el Pastor?

—Sí.

—Otro ignorante. Si el Rabino Grande hubiera ido a la escuela no diría disparates. — Cambió de tono para proseguir —: ¿Y no te gustaría a ti cuando seas grande tener un auto como el de don Antero?

—No — dijo el niño.

Doña Resu carraspeó:

—Está bien — dijo seguidamente —, pero sí te gustaría saber de plantar pinos más que Guadalupe, el extremeño.

—Sí.

—O saber cuántos dedos tiene el águila real o dónde anida el cernícalo lagartijero ¿verdad que sí?

—Eso ya lo sé, doña Resu.

—Está bien — dijo el Undécimo Mandamiento en tono intemperante —, tú quieres que a doña Resu la pille el toro.* Eso quieres tú ¿verdad?*

El niño no respondió. La Fa le contemplaba pacientemente desde la línea dorada de la puerta. Doña Resu se incorporó y le puso al Nini una mano en el hombro:

—Mira, Nini — le dijo maternalmente —, tú tienes luces naturales pero al cerebro hay que cultivarlo. Si a un pajarito no le dieras de comer todos los días moriría ¿verdad que sí? Pues es lo mismo.

Carraspeó bobamente y agregó:

—¿Conoces al ingeniero de los extremeños?

—¿A don Domingo?

—Sí, a don Domingo.

—Sí.

—Pues tú podrías ser como él.

—Yo no quiero ser como don Domingo.

—Bueno, quien dice don Domingo dice otro cualquiera.* Quiero decir que tú podrías ser un señor a poco que pusieras de tu parte.*

El chiquillo alzó la cabeza de golpe:

—¿Quién le dijo que yo quiera ser un señor, doña Resu?

El Undécimo Mandamiento elevó los ojos al techo. Dijo reprimiendo su irritación:

—Será mejor que vuelva a hablar con tu padre. Eres muy testarudo, Nini. Pero ten presente una cosa que te dice doña Resu: en este mundo no se puede estar uno mano sobre mano mirando cómo sale el sol y cómo se pone ¿me entiendes? El undécimo, trabajar.

10

El Rabino Grande se levantaba antes de apuntar la aurora e inmediatamente hacía sonar el cuerno desde el centro de la plaza y los vecinos, al oír la señal, tiraban entre sueños del cordel enganchado al picaporte de la cuadra y las ovejas y las cabras acudían por sí solas a concentrarse en torno al Pastor haciendo sonar jubilosamente sus esquilas. Por su parte, el Rabino Chico, a esas horas, ya regresaba del cauce de abrevar el ganado y ambos hermanos se cruzaban en la plaza y se saludaban levantando lentamente una mano en ademán amistoso, como dos desconocidos:

—Buenos días.

—Buenos nos los dé Dios.*

Luego, el Rabino Chico se encerraba en el establo, limpiaba los pesebres y preparaba las posturas, en tanto el Rabino Grande ascendía con el rebaño por el camino del alcor y la primera claridad del alba le sorprendía, de ordinario, faldeando los tesos. Durante el otoño y el invierno, los primeros seres que el Rabino Grande divisaba abajo en la cuenca, entre los hoscos terrones, arrimados a la tira plateada del arroyo eran el tío Ratero y el Nini. Los distinguía claramente aunque diminutos y por sus actitudes adivinaba cuándo escapaba la rata o cuándo la atrapaban.

Sentado en una laja, a medio teso, mientras almorzaba, seguía ahora sus evoluciones con una atención indiferente y fría.

Abajo, en la cuenca, el Ratero se apartó de la hura malhumorado:

—No está sobada — dijo.

El riachuelo, en estiaje prematuro, discurría penosamente entre los carrizos y las espadañas y, a los lados bajo un sol pugnaz, blanqueaban los barbechos sedientos, en contraste con la engañosa plenitud de los cereales apuntados.

El niño estimuló a la perra:

—¡Tráela, Fa!

El animal, el hocico a ras de tierra, olfateaba las veredas y los pasos de las riberas y al cruzar de una orilla a otra chapoteó en el agua ruidosamente. De pronto se plantó, el muñón erecto, la pequeña cabeza ladeada, fijos los ojos, el cuerpecillo tenso e inmóvil:

—¡Ojo, chita! — dijo el Ratero enarbolando el pincho.

La perra se arrancó ciegamente con un breve ladrido, quebrando como una exhalación, las berreras y carrizos que se alzaban a su paso. Durante unos segundos corrió en línea recta, pero, de súbito, se detuvo, volvió sobre sus pasos,* olisqueó tenazmente en todas direcciones y, al cabo, irguió la cabeza desolada y jadeó ahogadamente.

—La ha perdido — dijo el Nini.

—Es vieja ya; no tiene vientos — dijo el Ratero.

El Nini le miró dubitativo. Dijo tras una pausa:

—Está preñada. Eso le pasa.*

El hombre no respondió. La perra ganó de un salto la ribera, se agachó y, al concluir,* escarbó nerviosamente con las manos hasta cubrir de tierra la pequeña mancha de humedad. Cada vez que orinaba en el campo procuraba no dejar rastro. En la cueva bastaba que el niño la señalara la entrada con un gesto para que el animal saliera y se desahogara. De muy joven* lo hacía levantando la pata junto a las esquinas, como los perros, pero tras el primer parto, el animal se sentó y adquirió conciencia de su sexo. Antes, el Antoliano la cercenó el rabo de un solo golpe con el formón. Pero, en todo caso el muñón de la Fa era un muñón alegre y expresivo, como esos hombres sobre quienes se acumulan las desgracias y, sin embargo, sonríen. Por el muñón de la Fa sabía el Nini dónde había ratas y dónde no las había, si estaba alegre o triste, dónde anidaban la abubilla y el alcaraván o si rondaba un peligro.

—Es del perro del Centenario — aclaró el Nini, tras una pausa, sin que el hombre le hubiera pedido explicaciones.

—¿Del Duque?

—Sí. Por la noche la Sime le da suelta.

El Ratero movió la cabeza enojado. Tenía la hirsuta barba a corros sin afeitar, y la sucia boina capona calada hasta las orejas. Sus ojos se enturbiaron al decir:

—No hay ratas ya.

Amagaba la primavera y los morrales eran cada vez más exiguos y laboriosos. Ningún año ocurrió así. Las ratas abundaban en el arroyo — a veces hasta cinco o seis en una hura — y raro era el día que el tío Ratero no conseguía un morral de tres docenas. Ahora, a duras penas lograban la tercera parte. El Ratero decía apretando las encías deshuesadas: "Ése me las roba". Malvino, en la taberna le malmetía cada noche: "Las ratas son tuyas, Ratero, métetelo en la cabeza.* A ese granuja nadie le dio vela en este entierro".* "Eso", decía el Ratero y los músculos del cuello y de los brazos se le tensaban hasta casi saltar. Aún añadía el Malvino: "Quiere quitarte el pan; no dejes a ese gandul que te pise el terreno". Luego hasta la tarde siguiente el Ratero no hacía más que rumiar sus palabras pese a que el Nini se esforzaba en convencerle de que las ratas eran como los trigos, que unos años vienen mejor y otros peor, y culpaba de la escasez a los hurones y las comadrejas. "Algo han de comer — decía —; conejos no hay".* A veces el niño imaginaba que las ratas podían estar afectadas por la peste de los conejos, pero por más que investigó no consiguió dar con una rata enferma. Conejos, en cambio, se hallaban con facilidad en el páramo, las trochas o los senderos del monte, la cabeza aleonada, los párpados hinchados, el hocico erizado de pústulas. El animal contagiado era un ser indefenso que moría de inanición: ciego y sin olfato era incapaz de encontrar alimento.

El Nini cavó una cueva anidada y llamó la atención del Ratero:

—Mire — dijo.

Entre las pajas se movían dos minúsculos cuerpos sonrosados. Tenían aún los ojos cerrados pero, en cambio, abrían unas bocas desproporcionadas.

—Ya ve, dos crías — añadió el niño —. Nadie tiene la culpa.

De ordinario, las camadas de las ratas eran de cinco a ocho. Dijo el Ratero, luego de observarlas atentamente:

—Son de esta noche.

El niño cubrió el nido cuidando de no aplastarlas. Insistió:

—Es año bisiesto. Nadie tiene la culpa.

A la mañana siguiente, cuando acechaba a la nutria, en el cauce, el Nini se topó con el ratero de Torrecillórigo. Era un muchacho apuesto, de ojos vivaces y expresión resuelta, que vestía una americana de pana parda y botas claveteadas como las del Furtivo. Su perro olisqueaba sin convicción entre las berreras. El hombre sonrió al niño y dijo encuclillándose e hincando el pincho de hierro en al suelo:

—¿Qué pasa que no hay ratas este año?

—Qué sé yo*—dijo el niño.

—El año pasado había un carro de ellas.

—Éste no. Las comadrejas las sangran; y los hurones.

—¿Los hurones también?

—A ver. No hay conejos arriba. La peste acabó con ellos. Algo tienen que comer.

Luego permaneció en silencio un rato junto al cauce, observándole. La Fa también le miraba hacer* y, de vez en cuando, rutaba con encono mal reprimido. El Nini reparó en la bolsa fláccida, en la cintura del hombre:

—¿No cogiste ninguna?

El otro sonrió; su sonrisa era muy blanca en contraste con su rostro atezado:

—Ni las vi tampoco — dijo.

El niño hincó los codos en las rodillas y sujetó la cara entre las manos:

—¿Por qué lo haces? — inquirió al fin.

—¿Por qué hago qué?

—Cazar ratas.

—Para entretenerme, mira. A mí me gustan las ratas.

—¿Las vendes?

El otro rompió a reír francamente:

—Está bueno eso. Con sacar para merendar ya me conformo* — dijo.

Entonces el niño le sugirió que cazara en el término de Torreci-llórigo. El muchacho parecía muy divertido:

—¿Es vedado esto?

El niño continuó mudo. El hombre, entonces, se sentó en el ribazo, lió un cigarrillo, lo prendió y se tumbó bajo el sol. Guiñaba los ojos, no se sabía si por el humo del cigarrillo o por la fuerza del sol y, de pronto, se enderezó y dijo:

—Parece que no quiere llover.

El Pruden, desde San Juan Clímaco, decía cada tarde en la taberna de Malvino: "Si no llueve para San Quinciano a morir por Dios".* El Rosalino y el Virgilio, y el José Luis y el Justito y el Guadalupe y todos los hombres del pueblo no decían nada, pero cada madrugada, al despertar, alzaban los ojos al cielo y al contemplar el azul infinito barbotaban juramentos y maldecían entre dientes. No obstante, se aviaban y salían con el primer sol a aricar los sembrados o a binar los barbechos y, al terminar, se sentaban silenciosamente en la taberna a esperar el agua y, si es caso, trataban de olvidar el riesgo y decían: "Anda, Virgilio, tócate un poco, siquiera tendremos música". Y otro tanto acontecía en septiembre cuando aguardaban pacientemente que lloviera para alzar. Los hombres del pueblo trataban de acorazar-se contra la adversidad y jalonaban el curso del año con fiestas y romerías.* Pero el agua, o el nublado, o el pulgón, o la helada negra, siempre venían a trastornarlo todo. Por las Marzas, que este año cayeron por San Porfirio, el pueblo parecía un funeral. Sin embargo, los mozos se dividieron, como de costumbre, en dos coros y ambos se peleaban por el Virgilio Morante, pero a poco de prender las hogueras se presentó la señora Clo y dijo que había relente y que el Virgilio andaba constipado y que mejor estaría en casa. Los coros, sin el Virgilio, apenas acertaban a entonar y las mozas se reían desde los balcones de sus esfuerzos disonantes. Luego, en las bodegas, no había ratas para todos y una vez más se cumplió la vieja profecía del Centenario: "Vino con holgura, tajada con mesura".* Y el José Luis le dijo brutalmente al tío Ratero: "Ya no sirves; tendrás que pedir plaza en al Asilo." Y dijo el Ratero: "No hay ratas ya; ése me las roba."

Apenas regresó el Nini de acechar a la nutria, le dijo el Ratero maquinalmente.

—¿Viste a ése?

El Nini no respondió. El tío Ratero levantó los ojos del puchero:

—¿Le viste? — insistió.

Aún tardó el niño un rato en responder:

—No sabe* — dijo al fin —. Y el perro tampoco.

El Ratero le prendió del pelo y le obligó a levantar la cabeza:

—¿Dónde andaba, di?

El niño crispó la boca en un gesto de dolor:

—En las Revueltas — dijo —. Pero no sabe. En toda la tarde agarró una rata,* ya ve.

El tío Ratero le soltó pero sus dedos seguían crispados y finalmente los entrelazó con los de la otra mano, como si atenazara la garganta de alguien y dijo:

—Si lo cojo, lo mato.

Luego quedó resollando por el esfuerzo.

Por San Andrés Hivernón, perdió un ojo la perra. Ocurrió el mismo día que el Rabino Grande, el Pastor, mató a palos a una culebra de metro y medio que mamaba a la cabra del Pruden después de hipnotizarla. A la Fa la perdió* el ansia del tío Ratero, su afán porque husmease entre las junqueras, los carrizos y los zaragüelles. El tío Ratero no se cansaba: "Busca, chita", decía. Y el animal rastreaba dócilmente entre las berreras y la corregüela. Al salir de la maraña con el ojo herido gañía tenuemente. El tío Ratero dijo: "No sirve ya; está vieja". Y el niño la tomó en sus brazos y pasó la noche aplicándole compresas de áloe y pimienta. A la mañana siguiente, le bañó el ojo con jugo de ciruela pero todo resultó inútil; la perra quedó tuerta con una expresión extraña en la cara entre pícara y taciturna.

Por San Juan de ante Portam Latinam* parió la perra; echó seis cachorrillos moteados y uno de pelaje canela. El Nini bajó donde el Centenario a darle la buena nueva.

—Ya somos parientes ¿no? — le dijo el viejo.

—¿Parientes, señor Rufo?

—A ver. ¿No son los cachorros del Duque y de tu perra?

—Sí.

—Pues entonces.

El niño no se habituaba ahora a la soledad. Echaba en falta a la perra, a su lado. Cada vez que salía de la cueva el animalito le seguía con la vista dudando entre abandonarle a él o abandonar a sus crías. Una tarde, al regresar de sus correrías, la encontró aullando lastimeramente. Bajo ella, oculto entre las ubres, jugueteaba solitario el cachorro canela. El Ratero le dijo con una sonrisa maliciosa:

—Éste ve bien.

El Nini le miró sin responderle. Agregó el tío Ratero:

—Tiene los ojos bien listos.

El niño vacilaba:

—¿Y los otros?* — dijo al fin.

—¿Los otros?

—¿Dónde los puso?

En la cara del tío Ratero se dibujó una mueca entre estúpida y socarrona:

—¿Dónde? Por ahí.

La perra gañía a su lado y el Nini tomó el cachorro en sus brazos y salió de la cueva. La Fa le precedía rastreando en la cárcava, atravesó el camino, y por la linde del trigal se llegó al prado, levantó el hocico al viento y al cabo, sin vacilar, se dirigió al río en línea recta. Una vez allí se alebró, la cabeza gacha, como entregada. Entonces divisó el Nini entre las espadañas el primer cachorro. Uno a uno recuperó los seis cadáveres y allí mismo, en el prado, cavó una hoya profunda y los enterró. Al concluir puso una cruz de palo sobre el montón de tierra y la Fa se ovilló a su lado, mirándole apagadamente con su único ojo agradecido.

II

La cigüeña casi siempre inmigraba a destiempo, lo que no impedía que el Nini anunciase su presencia cada año con varios días de antelación. En la cuenca existía desde tiempo el prejuicio de que la cigüeña era heraldo de primavera, aunque en realidad, por San Blas, fecha en que de ordinario se presentaba, apenas iba mediado el duro invierno de la meseta. El Centenario solía decir: "En Castilla ya se sabe, nueve meses de invierno y tres de infierno". Y raro era el año que se equivocaba.

El Nini, el chiquillo, sabía que las cigüeñas que anidaban en la torre eran siempre las mismas y no las crías, porque una vez las anilló y el año siguiente regresaron con su habitual puntualidad y los aros rebrillaban al sol en la punta del campanario como si fueran de oro. Tiempo atrás, el Nini solía subir al campanario cada primavera, por la fiesta de la Pascuilla, y desde lo alto de la torre, bajo los palitroques del nido, contemplaba fascinado la transformación de la tierra. Por estas fechas, el pueblo resurgía de la nada, y al desplegar su vitalidad decadente asumía una falaz apariencia de feracidad. Los trigos componían una alfombra verde que se diluía en el infinito acotada por la cadena de cerros, cuyas crestas agónicas se suavizaban por el verde mate del tomillo y la aliaga, el azul aguado del espliego y el morado profundo de la salvia. No obstante, los tesos seguían mostrando una faz torva que acentuaban las irisaciones cambiantes del yeso cristalizado y la resignada actitud del rebaño de Rabino Grande, el Pastor, ramoneando obstinadamente, entre las grietas y los guijos, los escuálidos yerbajos.

Bajo el campanario se tendía el pueblo, delimitado por el arroyo, la carretera provincial, el pajero y los establos de don Antero, el Poderoso. El riachuelo espejeaba y reverberaba la estremecida rigidez de los tres chopos de la ribera con sus muñones reverdecidos. Del otro lado del río divisaba el niño su cueva, diminuta en la distancia, como la hura de un grillo, y según el cueto volvía, las cuevas derruidas de sus abuelos, de Sagrario, la Gitana, y del Mamés, el Mudo. Más atrás se alzaba el monte de encina del común y las águilas y los ratoneros lo sobrevolaban a toda hora acechando su sustento. Era, todo, como una portentosa resurrección, y llegada la conversión de San Agustín, la fronda del arroyo rebrotaba enmarañada y áspera, los linderones se poblaban de amapolas y margaritas, las violetas y los sonidos se arracimaban en las cunetas húmedas y los grillos acuchillaban el silencio de la cuenca con una obstinación irritante.

Sin embargo, este año, el tiempo continuaba áspero por Santa María Cleofé, pese a que el calendario anunciara dos semanas antes la primavera oficial.* Unas nubes altas, apenas tiznadas, surcaban velozmente el cielo, pero el viento norte no amainaba y las esperanzas de lluvia se iban desvaneciendo. Junto al arroyo, en las minúsculas parcelas donde alcanzaba el agua, sembraron los hombres del pueblo escarola, acelgas, alcachofas y guisantes enanos. Otros segaron los cereales de las tierras altas para forrajes verdes y dispusieron la siembra de trigos de ciclo corto. Las yeguas quedaron cubiertas y con la leche de las cabras y las ovejas se elaboraron quesos para el mercado de Torrecillórigo. En las colmenas recién instaladas, se hizo el oreo para evitar la enjambrazón prematura y el Nini, el chiquillo, no daba abasto para atender las demandas de sus convecinos:

—Nini, chaval, mira que quiero formar nuevas colonias. Si no cojo trigo siquiera que coja miel.

—Nini, ¿es cierto que si no destruyo las celdillas reales el enjambre se me largará? ¿Y cómo demontre voy a conocer yo las celdillas reales?

Y el Nini atendía a unos y a otros con su habitual solicitud.

Por San Lamberto, las nubes se disiparon y el cielo se levantó, y sobre los campos de cereales empezaron a formarse unos corros blanquecinos. El Pruden dio la alarma una noche en la taberna:

—¡Ya están ahí las parásitas! — dijo—. La piedralipe no podrá con ellas.

Le respondió el silencio. Desde hacía dos semanas no se oía en el pueblo sino el siniestro crotorar de la cigüeña en lo alto de la torre, y el melancólico balido de los corderos nuevos tras las bardas de los corrales. Los hombres y las mujeres caminaban por las sórdidas callejas arrastrando los pies en el polvo, la mirada ensombrecida, como esperando una desgracia. Conocían demasiado bien a las parásitas para no desesperar. El año del hambre el "ojo de gallo" arrasó los sembrados y dos más tarde el "cyclonium" no respetó una espiga. Los hombros del pueblo decían "cyclonium", entrecruzando los dedos mecánicamente, como veían hacer a don Ciro cada vez que soltaba cuatro latines* desde el púlpito de la iglesia. A los más religiosos se les antojaba una blasfemia que se llamara "cyclonium" una parásita tan cruel y devastadora. No obstante, fuese su nombre propio o impropio, el "cyclonium" se ensañaba con ellos, o, al menos, amagaba todos los años por el mes de abril. El tío Rufo decía: "Si no fuera por abril no habría año vil". Y en el fondo de sus almas los hombres del pueblo alimentaban un odio concentrado hacia este mes versátil y caprichoso.

Por San Fidel de Sigmaringa, en vista de que la sequía se prolongaba, doña Resu propuso sacar el santo para impetrar la lluvia de lo Alto, siquiera don Ciro, el párroco de Torrecillórigo, con su excesiva juventud y su humildad, y su indecisa timidez, no les pareciera eficaz a los hombres del pueblo para un menester tan trascendente. De don Ciro contaban que el día que el Yayo, el herrador de Torrecillórigo, mató a palos a su madre y tras enterrarla bajo un montón de estiércol, se presentó a él para descargar sus culpas, don Ciro le absolvió y le dijo suavemente: "Reza tres Avemarías, hijo, con mucho fervor, y no lo vuelvas a hacer".*

Con todas estas cosas la nostalgia hacia don Zósimo, el Curón, se avivaba todo el tiempo. Don Zósimo, el antiguo párroco, levantaba dos metros y medio y pesaba 125 kilos. Era un hombre jovial que no paraba nunca de crecer. Al Nini, su madre, la Marcela, le asustaba con él: "Si no callas — le decía —, te llevo donde el Curón, a que le veas roncar". Y el Nini callaba porque aquel hombre gigantesco, enfundado de negro, con aquel vozarrón de trueno, le aterraba. Y cuando las rogativas, el Curón no parecía implorar sino exigir y decía: "Señor, concédenos una lluvia saludable y haz correr por la sedienta faz de la tierra las celestiales corrientes" como si se dirigiera a un igual en una conversación confianzuda. Y con aquella su voz atronadora,* hasta los cerros parecían temblar y conmoverse. En cambio, don Ciro, ante la Cruz de Piedra, se arrodillaba en el polvo y decía humillando la cabeza y abriendo sus débiles brazos: "Aplaca, Señor, tu ira con los dones que te ofrecemos y envíanos el auxilio necesario de una lluvia abundante". Y su voz era débil como sus brazos, y los vecinos del pueblo desconfiaban de que una petición tan desvaída encontrara correspondencia en lo Alto. Y otro tanto sucedía en las Misiones.* Don Zósimo, el Curón, cada vez que subía al púlpito era para hablarles de la fornicación y del fuego del infierno. Y peroraba con voz de ultratumba y, al concluir el último sermón, los hombres y mujeres abandonaban la parroquia empapados en sudor, lo mismo que si hubieran compartido con los réprobos durante unos días las penas del infierno. Por contra, don Ciro hablaba dulcemente, con una reflexiva, cálida ternura, de un Dios próximo y misericordioso, y de la justicia social y de la justicia distributiva y de la justicia conmutativa, pero ellos apenas entendían nada de esto y si aceptaban aquellas pláticas era únicamente porque a la salida de la iglesia, durante el verano, don Antero, el Poderoso, y el Mamel, el hijo mayor de don Antero, se enfurecían contra los curas que hacían política y metían la nariz donde no les importaba.

No obstante, el pueblo acudió en masa a las rogativas. Antes de abrir el alba, tan pronto el gallo blanco del Antoliano lanzaba desde las bardas del corral su ronco quiquiriquí, se formaban torpemente dos filas oscuras que caminaban cansinamente siguiendo las líneas indecisas de los relejes. Paso a paso, los hombres y las mujeres iban rezando el rosario de la Aurora y a cada misterio* hacían un alto y entonces llegaba a ellos el dulce campanilleo de las ovejas del Rabino Grande desde las faldas de los tesos. Y como si esto fuera la señal, el pueblo entonaba entonces desafinada, doloridamente, el "Perdón, oh Dios mío". Así hasta alcanzar la cruz de piedra del alcor ante la cual se prosternaba humildemente don Ciro y decía: "Aplaca, Señor, tu ira con los dones que te ofrecemos y envíanos el auxilio necesario de una lluvia abundante". Y así un día y otro día.

Por San Celestino y San Anastasio concluyeron las rogativas. El cielo seguía abierto, de un azul cada día un poco más intenso que el anterior. No obstante, al caer el sol, el Nini observó que el humo de la cueva al salir del tubo se echaba para la hondonada y reptaba por la vertiente del teso como una culebra. Sin pensarlo más,* dio media vuelta y se lanzó corriendo cárcava abajo, los brazos abiertos, como si planeara. En el puentecillo de junto al arroyo divisó al Pruden encorvado sobre la tierra:

—¡Pruden! — voceó agitadamente, y señalaba con un dedo la chimenea, a medio cueto —: El humo al suelo, agua en el cielo; mañana lloverá.

Y el Pruden levantó su rostro sudoroso y le miró como a un aparecido, primero como con desconcierto pero, de inmediato, hincó la azuela en la tierra y sin replicar palabra se lanzó como un loco por las callejas del pueblo, agitando los brazos en alto y gritando como un poseído:

—¡Va a llover! ¡El Nini lo dijo! ¡Va a llover!

Y los hombres interrumpían sus tareas y sonreían íntimamente y las mujeres se asomaban a los ventanucos y murmuraban: "Que su boca sea un ángel",* y los niños y los perros, contagiados, corrían alborozadamente tras el Pruden y todos gritaban a voz en cuello: "¡Va a llover! ¡Mañana lloverá! ¡El Nini lo dijo!".

En la taberna corrió el vino aquella noche. Los hombres exultaban y hasta Mamés, el Mudo, se obstinaba en comunicar su euforia haciendo constantes aspavientos con sus dedos sobre la boca. Mas la impaciencia no les permitía a los hombres del pueblo traducir su lenguaje y Mamés gesticulaba cada vez más vivamente hasta que el Antoliano le dijo: "Mudo, no vocees así, que no soy sordo". Y todos, hasta el Mamés, rompieron a reír y, a poco, el Virgilín comenzó a cantar "La hija de Juan Simón" y todos callaron, porque el Virgilín ponía todo su sentimiento, y sólo el Pruden le dio con el codo al José Luis y musitó: "Eh, tú, hoy está cantando como los ángeles".

Al día siguiente, la Resurrección de la Santa Cruz, un nubarrón cárdeno y sombrío se asentó sobre la Cotarra Donalcio y fue desplazándose paulatinamente hacia el sudeste.

Y el Nini, apenas se levantó, lo escudriñó atentamente. Al fin se volvió hacia el Ratero y le dijo:

—Ya está ahí el agua.

Y con el agua se desató el viento y, por la noche, ululaba lúgubremente batiendo los tesos. El bramido del huracán desazonaba al niño. Se le antojaba que los muertos del pequeño camposanto, conducidos por la abuela Iluminada y el abuelo Román, y las liebres y los zorros y los tejos y los pájaros abatidos por Matías Celemín, el Furtivo, confluían en manada sobre el pueblo para exigir cuentas. Pero esta vez el viento se limitó a desparramar la gran nube sobre la cuenca y amainó. Era una nube densa, plomiza, como barriga de topo, que durante tres días con tres noches descargó sobre el término. Y los hombres, sentados a las puertas de las casas, se dejaban mojar mientras se frotaban jubilosamente sus manos encallecidas y decían mirando al cielo entrecerrando los ojos.

—Ya están aquí las aguarradillas. Este año fueron puntuales.

A la mañana del cuarto día, el silencio despertó al Nini. El niño se asomó a la boca de la cueva y vio que la nube había pasado y un tímido rayo de sol hendía sus últimas guedejas blancas y proyectaba un luminoso arco iris de la Cotarra Donalcio al Cerro Colorado. Al niño le alcanzó el muelle aroma de la tierra embriagada y tan pronto sintió cantar al ruiseñor abajo, entre los sauces, supo que la primavera había llegado.

12

A partir de San Gregorio Nacianceno el canto de los grillos se hacía en la cuenca un verdadero clamor. Era como un alarido múltiple y obstinado que imprimía a los sembrados, al leve cauce del arroyo, a las míseras barracas de barro y paja, a los hoscos tesos que festoneaban el horizonte, una suerte de nerviosa vibración que se ensanchaba en ondas crecientes, como una marea, en los crepúsculos, para amainar en las horas centrales del día o de la noche. Mas en todo caso el canto de los grillos tenía un volumen y una densidad, se filtraba por todos los resquicios, ponía un fondo estridente a todas las faenas, pero los hombres y las mujeres del pueblo lo desdeñaban; era un algo, como el aire o el pan, que sostenía su ritmo vital sin que ellos se apercibiesen.* Tan sólo la Columba, la del Justito, se llegaba en ocasiones a su marido, las manos abiertas, crispadas sobre el pecho, y sollozaba:

—Esos grillos, Justo. Esos grillos no me dejan respirar.

Por lo demás, la irrupción de los grillos significaba para el pueblo el comienzo de una larga expectativa. Los sembrados aricados y escardados, verdegueaban en la distancia como una firme promesa y los hombres miraban al cielo insistentemente, pues del cielo bajaban el agua y la sed, la helada y las parásitas y, en definitiva, a estas alturas, únicamente del cielo podía esperarse la granazón de las espigas y el logro de la cosecha.

Con la irrupción de los grillos la Columba, la del Justito, solía avisar al Nini para separar la gallina* y confiar los polluelos al pollo capón. De ordinario no le pagaba el servicio, porque, según la Columba, el dinero en el bolsillo de los rapaces sólo servía para maliciarles; se conformaba con darle de merendar una pastilla* de chocolate y un pedazo de pan y, luego, charlaba con él a distancia, junto al arcén del pozo, y así que el niño marchaba la invadía una sensación de desasosiego, como un picor inconcreto que iba extendiéndose por todo el cuerpo. Claro que esto la ocurría cada vez que se arrimaba a cualquiera de sus convecinos, razón por la cual la Columba terminó por no relacionarse con nadie. En puridad, la Columba echaba en falta su infancia en un arrabal de la ciudad y no transigía con el silencio del pueblo, ni con el polvo del pueblo, ni con la suciedad del pueblo, ni con el primitivismo del pueblo. La Columba exigía, al menos, agua corriente, calles asfaltadas y un cine y un mal baile* donde matar el rato. Al Justito, su marido, le traía de cabeza:

—Justo — le decía —, así que me levanto de la cama, sólo de ver el mundo vacío* me dan ganas de devolver.

El Justito se desazonaba:

—¿Y dónde vamos a ir que* más valgamos?

A la Columba le blanqueaban mucho los ojos:

—¡Al infierno! ¡Donde sea!* ¿No se fue el Quinciano?

—Valiente ejemplo, el Quinciano, de peón a Bilbao a morirse de hambre.

—Mejor muerta de hambre en Bilbao que de hartura en este desierto, ya ves.

Para la Columba, el pueblo era un desierto y la arribada de las abubillas, las golondrinas, y los vencejos, no alteraba para nada su punto de vista. Tampoco lo alteraban la llegada de las codornices, los rabilargos, los abejarucos, o las torcaces volando en nutridos bandos a dos mil metros de altura. Ni lo alteraban el chasquido frenético del chotacabras, el monótono y penetrante concierto de los grillos en los sembrados, ni el seco ladrido del búho nival.

Con el Nini, la Columba no congeniaba. Se le antojaba un producto más de aquella tierra miserable y cada vez que se le encontraba le miraba con desdén y desconfianza. De ahí que la Columba no recurriera al Nini sino en circunstancias extremas como en caso de catar la colmena, o capar el marrano, o separar la gallina y confiar la pollada al pollo capón. Mas, ordinariamente, ella concretaba sobre el Justito su soledad y su desamparo:

—¿Y el Longinos, di? ¿No se marchó el Longinos? ¿Y quién había más desgraciado que él en estos contornos?

—Ése es otro cantar.* El Longinos se fue con su hermana a León. Ese fue a mesa puesta.*

—Eso, di que sí.* Todos tienen sus razones menos nosotros.

Sin embargo, cada vez que Fito Solórzano, el Jefe, le decía lo de las cuevas, Justito, el Alcalde, veía surgir un punto de luz en el horizonte:

—Si el Jefe me ayudara ... — decía —. Pero antes he de acabar con las cuevas.

La Columba se excitaba:

—Lo que es yo iba a andarme con contemplaciones.*

—Tú, tú ... tú todo lo arreglas de boquilla. ¿Qué harías tú, di?

—Pondría un cartucho y prendería. Verás con que garbo se arrancaba el Ratero.*

—¿Y si no se arranca?

—Tampoco se pierde nada, mira.

Justito, el Alcalde, no obstante, tropezó dos mañanas antes, en la Plaza, con la señora Clo, la del estanco, y ella le llamó a un aparte:

—Justito — le dijo —. ¿Es cierto que queréis largar al Ratero de su cueva? ¿Qué mal hace ahí?

—Ya ve, señora Clo. Un día se hunde y tenemos en el pueblo una desgracia.

Ella dijo:

—Arréglasela; eso es bien fácil.

La roncha de la frente de Justito, el Alcalde, enrojeció a ojos vistas:

—En realidad, no es eso, señora Clo. En realidad, es por los turistas, ¿sabe? Luego vienen los turistas y salen con que vivimos en cuevas los españoles, ¿qué le parece?

—Los turistas, los turistas ... ¡déjales que digan misa!* ¿No van ellos por ahí enseñando las pantorras y nadie les dice nada?

Por si esto fuera poco,* el José Luis, el Alguacil, le hizo ver un día al Justito la imposibilidad de volar por las bravas la cueva del Ratero. El José Luis, después de un prolongado parlamento con el Juez de Torrecillórigo, llegó a la conclusión de que el Ratero, sin soltar una peseta, era el dueño de su cueva.

—¿Dueño? — dijo perplejo el Justito —. ¿Puede saberse* a quién ha pagado dos reales por ella?

El José Luis adoptó una actitud de suficiencia:

—¡Dinero! — dijo —. Para la Ley no sólo vale el dinero, Justo, no la fastidiemos.* También cuenta el tiempo.

—¿El tiempo?

—A ver. Atiende, tú tienes una cosa un tiempo y un día, sin más que correr el tiempo, te haces el amo de ella. Así como suena.*

El Justito frunció el entrecejo y la roncha le palpitó como una cosa viva:

—¿Aunque la hayas robado?

—Aunque la hayas robado.

—Estamos apañados, entonces — dijo el Justito desoladamente.

A partir del pleito de la cueva, la Columba empezó a mirar al Nini torcidamente, como a su más directo, encarnizado enemigo. Así y todo, el Nini, el chiquillo, parecía ignorar tal disposición y jamás se le pasó por las mientes que pudiera llegar un día en que tuviese que adoptar una resolución tan arriesgada como la de verter un bidón de gasolina en el pozo del Justito. Sin embargo, las cosas vinieron rodadas, y cuando por San Bernardino de Sena, la Columba mandó razón al Nini, como cada año, para separar la gallina, el niño acudió sin recelo, desplumó el pecho del pollo capón, le arrimó una mata de ortigas y lo depositó luego en el cajón sobre los pollos inquietos para que se calmase. La gallina, mientras tanto, le miraba hacer estúpidamente tras los barrotes de la jaula, como si nada de todo aquello fuera con ella.* Pero así que el niño terminó, la Columba, en vez de darle el pan y el chocolate, como de costumbre, se le quedó mirando con la misma estúpida expresión que la gallina. La Columba decía a veces que el Nini tenía cara de frío incluso de Virgen a Virgen,* fechas en que más arreciaba la canícula. El Malvino explicaba que eso les pasa a todos los que piensan mucho, porque mientras los sesos trabajan la cabeza se caldea y la cara se queda fría, ya que las calorías del cuerpo están tasadas y si las pones en un sitio de otro sitio has de quitarlas. El Rabino Grande, cuando estaba presente, apoyaba al tabernero y recordaba que cuando D. Eustasio de la Piedra, que era un sabio, le tentaba las vértebras a su padre, tenía también cara de frío. Pero el Nini, ahora ante la mirada impasible de la Columba sólo acertó a decir:

—Bueno; esto está listo.

Entonces ella pareció despertar, le puso al niño la mano sobre el hombro y le dijo:

—Nini, ¿puede saberse por qué no os largáis de la cueva?

—No — dijo hoscamente el niño.

—¿No os largáis o no puede saberse?

—Las dos cosas.

—¡Las dos cosas, las dos cosas! — le zamarreó la Columba y su voz airada fue subiendo gradualmente de tono —: Un día el reuma te roerá los huesos por vivir bajo tierra y entonces no podrás abrir la boca ni menear un pie.

El Nini no se inmutó:

—Mira los conejos — dijo serenamente.

La Columba, entonces, perdió los estribos, levantó la mano y le propinó al niño dos solemnes bofetones. Después, como si ella fuera la ofendida, se llevó las dos manos a las mejillas y empezó a llorar con bruscas sacudidas.

Esa misma noche, el Nini robó un bidón de gasolina del sotechado del Poderoso y lo vació en el pozo del Justito.* A la mañana, como de costumbre, la Columba se bebió un vaso de agua en ayunas y, al concluir, chascó la lengua:

—Esta agua tiene gusto — dijo.

—Vaya por Dios — dijo pacientemente el Justito.

—Te digo que tiene gusto — insistió la Columba.

Y al arrimar la nariz a la herrada, al Justito le temblaban visiblemente los dedos:

—¿Sabes que tienes razón? El agua ésta huele a gasolina.

Prendió un fósforo y el líquido de la herrada ardió furiosamente y el Justito comenzó a golpearse el pecho con los puños y a reír con gruesas carcajadas. Parecía muy alterado al coger la bicicleta y le dijo a la Columba con muchos aspavientos:

—De esto nada, ¿oyes?* Hay petróleo aquí abajo. Voy a avisar al Jefe. Esto es más importante que las cuevas. Pero mientras no venga el Jefe, ni una palabra,* ¿oyes?

Por la tarde se presentó el Jefe en el coche pequeño.

El sol aún no se había ocultado pero a esas horas ya se sentían los agudos silbidos de los alcaravanes en la falda del Cerro Merino y los grillos aturdían con su canto frenético desde las tierras.

El Justito, con manos temblorosas, hizo la demostración y el Jefe, al ver arder la herrada, se sintió recorrido por un frío paralizante que, paradójicamente, le hacía sudar a chorros por la calva:

—Bueno, bueno ... — dijo al fin con un nervioso guiño de complicidad — esto tiene que verlo un técnico. Esto puede ser un hallazgo. Ni yo mismo puedo prever las consecuencias. Mañana volveré. Hasta tanto, mucha discreción.

Ya anochecido, el pueblo entero se estacionó ante la casa del Justito. Rosalino, el Encargado, tomó la palabra y dijo que tenían noticias de que había estado allí de incógnito el señor Gobernador y que el Antoliano y el Rabino Chico habían visto el coche y que algo importante debía ocurrir en el pueblo y que Justo era su Alcalde y tenía el deber de informarles.

Tras su discurso, el encendido clamor de los grillos descendió de los cerros como un aroma sofocante y lo inundó todo, y Justo, el Alcalde, vaciló y, al fin, dijo:

—Nada, no ocurre nada, os lo digo yo.

Pero la señora Librada, la madre de la Sabina, la del Pruden, chilló con su vocecita estentórea:

—Vamos, Justo, no te hagas de rogar.*

Y dijo la Dominica, la del Antoliano:

—Esto está muy feo, Justo.

Y Justo se volvió a ella:

—¿Cuál está feo, Dominica?

Y Dominica dijo:

—Hacerse de rogar.

Entonces el Justito levantó las manos en actitud conciliadora y dijo: "Está bien".* Y con afectada parsimonia se llegó al pozo, extrajo un acetre de agua y le prendió fuego. Las llamas ascendieron caracoleando hacia el alto cielo oscurecido y el Justito sacó de lo hondo del pecho el vozarrón de Alcalde y dijo:

—¡Amigos! De la Cotarra Donalcio al Pezón de Torrecillórigo hay un mar de petróleo aquí debajo. El Jefe lo ha dicho así. Mañana seremos ricos. Ahora sólo os pido una cosa: calma y discreción.

Un alarido de entusiasmo coreó sus palabras. Los hombres y las mujeres se estrujaban, volaban al aire las sucias boinas caponas y el Pruden se despojó de la raída americana de pana parda y brincaba sobre ella como enloquecido. De vez en cuando se apartaba y decía: "Pisa, Dominica. Debajo está la fortuna. Hay que abrigarla". Y Mamés, el Mudo, babeando se dirigió al Alcalde, como si fuera a echar un discurso, pero sólo dijo: "Jé" y por la comisura de la boca le escurría una espuma amarillenta. Y volvió a repetir: "Jé". Entonces la Sabina, como trastornada, voceó; "¡El Mudo ha hablado! ¡El Mudo ha hablado" Y la señora Librada, negra y fruncida como una uva pasa, dijo: "Es un milagro. El Mudo ha hablado."* Y el Virgilio, encaramado en los hombros del Malvino, chilló: "Frutos, los cohetes!" El Frutos, el Jurado, regresó del Ayuntamiento en un santiamén y los cohetes rasgaron las tinieblas del cielo con su estela luminosa y detonaban en lo alto con una explosión breve, como abortada. La señora Clo avanzaba hacia la Sabina a trompicones, abriéndose paso entre el gentío, pero al ver al Virgilio en los hombros del Malvino le voceó: "Baja, Virgilio. Te vas a caer". Luego le preguntó a la Sabina: "Sabina, ¿es cierto que habló el mudo?" Y la Sabina dijo: "Ha dicho 'olé'; todos lo oyeron". Doña Resu, a sus espaldas, se santiguó. Tan sólo el Guadalupe y sus hombres parecían descentrados en aquella algarabía, cerrados en corro, cabizbajos. El Capataz, al fin, se abrió paso a empellones y se encaró con el Justito. Dijo oscuramente:

—¿Y nosotros, Justo? ¿Qué vamos a sacar nosotros de todo esto? El Alcalde exultaba. Le dijo:

—Os daremos una parte, claro. Aquí hay petróleo para todos. Os traeréis vuestras mujeres y vuestros hijos y viviréis con nosotros.

Nadie durmió aquella noche en el pueblo y, a la mañana, tan pronto se presentó el señor Gobernador con dos hombres graves y enigmáticos en el coche grande, la multitud excitada y soñolienta hizo corro en derredor suyo. Mas cuando Justito prendió un fósforo y lo arrimó al acetre y el fósforo se apagó, se difundió en torno un murmullo de decepción. El Justito había empalidecido, pero aún insistió tres veces con el mismo resultado, hasta que, finalmente, el señor Gobernador le invitó a entrar en la casa con la herrada y los dos hombres graves y enigmáticos. Al salir, el gentío les rodeó expectante, y el señor Gobernador, a quien Justito empujaba por las posaderas, se encaramó torpemente al brocal del pozo y dijo con voz engolada:

—Campesinos: habéis sido objeto de una broma cruel. No hay petróleo aquí. Pero no os desaniméis por ello. Tenéis el petróleo en los cascos de vuestras huebras y en las rejas de vuestros arados. Seguir* trabajando y con vuestro esfuerzo aumentaréis vuestro nivel de vida y cooperaréis a la grandeza de España. ¡Arriba el campo!

Nadie aplaudió. Al descender del arcén del pozo el señor Gobernador se pasó nerviosamente un pañuelo blanquísimo por la calva reluciente, propinó un golpecito amistoso al Justito y murmuró: "Lo siento". Luego levantó la voz y dijo: "De veras que lo siento".* Y dirigiéndose a los dos señores graves y enigmáticos, dijo, señalándoles el automóvil: "Cuando gusten". Un mecánico uniformado les abrió la portezuela y el coche grande se perdió en el camino tras una nube de polvo.

D

13

Al rebasar la línea de sombra, el tío Ratero entornó los párpados, deslumbrado por los destellos del sol naciente. Desde el interior de la cueva, a contraluz, parecía más rechoncho y macizo de lo que era y su inmovilidad y la boina capona hundida hasta las orejas le daban la apariencia de una estatua. Los brazos le pendían a lo largo del cuerpo, y las manos, de dedos todos iguales como tajados a guillotina, le alcanzaban holgadamente las rodillas. Al cabo de unos segundos, el hombre abrió los ojos y posó la mirada sobre los vastos campos de cereales incendiados de amapolas. El reiterativo canto de los grillos tenía ahora un ritmo tonificante, como una energía por primera vez desplegada. Los ojos del Ratero se fueron elevando poco a poco hasta los grises tesos lejanos, como barcos con las desnudas quillas al sol y, finalmente, resbalaron por las peladas laderas hasta detenerse en el puentecillo de tablas que enlazaba la cueva con el pueblo:

—Habrá que bajar — dijo entonces con un gruñido casi inaudible.

El Nini se adelantó hasta él, seguido de los perros, y se detuvo a su lado. Sus ojos estaban aún adormilados, pero el dedo pulgar de su pie derecho acariciaba mecánicamente a la perra tuerta a contrapelo y la Fa permanecía inmóvil, complacida, mientras el Loy, el cachorro, jugueteaba alocadamente en torno suyo.

—Será peor — dijo el niño —. Desbarataremos las camadas y no adelantaremos nada.

El hombre se sonó alternativamente las ventanas de la nariz y después se pasó por ella el dorso de la mano. Dijo:

—Algo hay que comer.

Desde que las ratas empezaron a escasear se acentuó el hermetismo del tío Ratero. La sucia boina calada hasta las orejas le dibujaba la forma del cráneo y el niño se preguntaba a menudo qué es lo que se fraguaría allí debajo. Años atrás, por estas fechas, tras la merienda* de Santa Elena y San Casto, el Ratero había hecho los ahorros suficientes para salvar el verano, pero la temporada última fue mala y ahora, llegada la veda, el hambre se alzaba ante ellos como un negro fantasma.

Insistió el niño:

—Por San Vito se abre el cangrejo.* Tal vez venga buen año.

El tío Ratero suspiró hondo y no dijo nada. Sus pupilas se habían elevado de nuevo y se clavaban en los mondos cerros grises que cerraban el horizonte. Agregó el Nini:

—Para el verano subiremos al monte a descortezar las encinas; el Marcelino, el de los curtidos, lo paga bien. Será mejor aguardar.

El Ratero no respondió. Silbó tenuemente y el Loy, el cachorro, acudió a su silbido. Entonces el Ratero se acuclilló y dijo sonriendo: "Éste ve bien" y comenzó a hacerle zalemas y el Loy gruñía con simulada cólera y hacía que mordía sus toscas manos. Los días de ocio eran largos y, de ordinario, el Ratero los llenaba adecentando la cueva, o adiestrando al cachorro en el cauce o charlando parsimoniosamente, al caer el sol, en el poyo de la puerta del Antoliano o en la taberna del Malvino. Algunas noches, antes de retirarse, iban todos juntos al establo a ver ordeñar al Rabino Chico. Y le decían: "Hoy sin hablar, Chico". Y cuando el Rabino Chico concluía se decían entre sí: "Dio menos leche, date cuenta". Y, al siguiente día, le decían: "Háblale a la vaca mientras la ordeñas, Chico". Y entonces el Rabino Chico iniciaba un monólogo melifluo y conseguía una herrada más y ellos se daban de codo y se decían con ademanes aprobatorios: "¿Qué te parece? Está chusco eso". A veces, mientras fumaban indolentemente en el establo o en el poyo del taller del Antoliano, la conversación recaía en el ratero de Torrecillórigo y el Antoliano decía: "Sacúdele, Ratero, ¿Para qué quieres las manos?"* Entonces el tío Ratero se estremecía levemente y farfullaba: "Deja que le ponga la vista encima".* Y decía el Rosalino: "Al hijo de mi madre le podían venir con ésas"*. Y si la tertulia era en la taberna, el Malvino se llegaba al tío Ratero y le decía:

—Ratero, si un pobre se mete en casa de un rico, ya sa sabe, es un ladrón, ¿no?

—Un ladrón — asentía el Ratero.

—Pero si un rico se mete en casa de un pobre, ¿qué es?

—¿Qué es? — repetía estúpidamente el tío Ratero.

—¡Una rata!

El Ratero denegaba obstinadamente con la cabeza:

—No — decía al fin —. Las ratas son buenas.

El Malvino porfiaba:

—Y yo digo, Ratero: ¿Es que sólo se puede robar el dinero?

Los ojos del tío Ratero se enturbiaban cada vez más:

—Eso — decía.

Por Santa Elena y San Casto, no hubo ratas para nadie y la fiesta de despedida de la caza* resultó deslucida y triste. El Ratero fue sacando del morral una a una hasta cinco piezas:

—No hay más — dijo, al cabo.

El Pruden se echó a reír displicentemente:

—Para este viaje — dijo — no necesitabas alforjas.

El Ratero giró la sombría mirada en derredor y repitió:

—No hay ratas ya. Ése me las roba.

El Malvino se adelantó hasta él y dijo encolerizado:

—Y aún da gracias, porque a la vuelta de un año no te queda una para contarlo.*

Los antebrazos del tío Ratero se erizaron de músculos cuando engarfió los dedos y dijo con una voz súbitamente enronquecida:

—Si lo cojo, lo mato.

En esos casos, el Nini procuraba calmar su excitación:

—Si no hay ratas, cangrejos habrá, no haga caso.

El Ratero no respondía, y llegada la noche ascendía a la cueva y el hombre prendía el candil y se sentaba a la puerta silencioso. Los grillos se desgañitaban abajo, en los sembrados, y los mosquitos y las mariposas nocturnas giraban en círculos concéntricos alrededor de la llama. De vez en cuando, cruzaba sobre sus cabezas una ráfaga como un crujido de madera reseca. El niño levantaba los ojos y los perros rutaban.

—El chotacabras — decía el Nini a modo de explicación.

Pero el Ratero no le oía. Al día siguiente, el Nini, como cada mañana, se esforzaba por hallar una solución. Con el alba abandonaba la cueva y pasaba el día cazando lagartos, recolectando manzanilla, o cortando lecherines para los conejos. Algunos días, incluso, alcanzaba las cumbres de los tesos más adustos de la cueva para recoger almendras silvestres. Mas todo ello, en junto, rendía poco. Los lagartos, aunque de carne delicada y sabrosa, apenas tenían qué comer; la manzanilla la adquiría D. Cristino, el farmacéutico de Torrecillórigo, a tres pesetas el kilo y en cuanto a los lecherines, se los compraban la señora Clo, el Pruden o el Antoliano a real la brazada sólo por hacerle un favor. En alguna ocasión, el Nini trató de ampliar la clientela, pero la gente del pueblo se mostraba demasiado sórdida:

—¿A real la brazada? ¡Pero, hijo, si los lecherines andan tirados por las cunetas!

Una tarde, la víspera de San Restituto, el Nini se encontró de nuevo al muchacho de Torrecillórigo en el cauce. El niño trató de rehuirle pero el muchacho se le acercó sonriente golpeándose la palma de la mano con el dorso de la pincha de hierro. La Fa olisqueaba el rabo del perro entre los carrizos. Dijo el muchacho:

—¿Cómo te llamas, chaval?

—Nini.

—¿Sólo Nini?

—Nini, ¿y tú?

—Luis.

—¿Luis? Vaya un nombre más raro.*

—¿Te parece Luis un nombre raro?

—En mi pueblo no hay nadie que se llame así.

El muchacho se echó a reír y sus dientes blanquísimos destellaban en la tez oscura:

—¿Y no serán los de tu pueblo los que son raros?

El Nini levantó los hombros y se sentó en el ribazo. El muchacho se aproximó al cauce donde el perro rastreaba entre la maleza y dijo rutinariamente:

—Dale, dale.

Luego volvió donde el niño y se sentó a su lado, sacó la petaca y el librillo y lió un cigarrillo. Al prenderle con el chisquero de yesca le miró y, bajo el sol, sus ojos se estriaban como los de los gatos. Le dijo el Nini:

—Ya no deberías cazar.

—¿Y eso?

—Destruyendo las camadas terminarás con las ratas.

El muchacho empinó la pincha de hierro y la sostuvo unos segundos en equilibrio sobre el dedo índice sin sujetarla. Después retiró repentinamente la mano y la atrapó en el aire como quien atrapa una mosca. Se echó a reír:

—Y aunque así fuera, chaval — dijo —, ¿quién va a llorarlas?

El sol caía tras los cerros y los grillos aturdían en derredor. A intervalos se sentía entre los juncos, muy próxima, la llamada de la codorniz en celo.

—¿No te gusta cazar? — inquirió el Nini.

—Mira, es una manera de matar el rato. Pero también me gusta salir al campo con una chavala.

Al ponerse el sol, el Nini regresaba de sus correrías y se reunía con el Ratero en el poyo de la puerta del Antoliano, o en los establos del Poderoso, o en la taberna del Malvino. En cualquier caso, la actitud del Ratero no variaba: mudo, la mirada huidiza, los antebrazos descansando sobre los muslos, inmóviles, como acechantes. Si acaso la tertulia se celebraba en los establos, el Ratero, recostado en un pesebre, observaba al Rabino Chico y cuando éste terminaba de ordeñar movía la cabeza en un vago gesto afirmativo y murmuraba: "Está chusco eso". Y su vecino, fuese* el Pruden, el Virgilio, el Rabino Grande o el Antoliano le daban de codo y le decían: "¿Qué te parece, Ratero?" Y el volvía a repetir: "Está chusco eso".

Por Santa Petronila y Santa Ángela de Merici, el Undécimo Mandamiento tornó a llamar al tío Ratero:

—¿Has reflexionado, Ratero? — le dijo al verle.

—El Nini es mío — dijo el Ratero hoscamente.

—Escucha — agregó el Undécimo Mandamiento —. Yo no trato de quitarte al Nini sino de hacerle un hombre. Doña Resu sólo pretende que el chico se labre un porvenir. Así, el día de mañana tendra el "don"* y ganará mucho dinero y se comprará un automóvil y podrá pasearte a ti por todo el pueblo. ¿No te gustaría, Ratero, pasearte en automóvil por todo el pueblo?

—No — dijo secamente el tío Ratero.

—Está bien. Pero sí te agradaría dejar un día la cueva y levantarte una casa propia con azotea y bodega sobre la Cotarra Donalcio, que gloria haya,* ¿verdad que sí?

—No — dijo el Ratero —. La cueva es mía.

Doña Resu se llevó las dos manos a la cabeza y se la sujetó como si temiera que echase a volar.

—Está bien — repitió —. Está visto que lo único que a ti te divierte, Ratero, es que a doña Resu la pille el toro. Pero antes debes saber que con un poco de voluntad el Nini podría aprender muchas cosas, tantas cosas como pueda saber un ingeniero. ¿Te das cuenta?

El Ratero se rascó ásperamente bajo la boina:

—¿Ésos saben? — preguntó.

—¡Qué cosas!* Cualquier problema que le sometas a un ingeniero te lo resolverá en cinco minutos.

El Ratero dejó de rascarse y levantó la cabeza de golpe:

—¿Y los pinos? — dijo de pronto.

—¿Los pinos? Mira, Ratero, ningún hombre por inteligente que sea puede nada* contra la voluntad del Señor. El Señor ha dispuesto que las cuestas de Castilla sean yermas y contra eso nada valen todos los esfuerzos de los hombres. ¿Te das cuenta?

El Ratero asintió. Doña Resu pareció animarse. Ablandó la voz para proseguir:

—Tu chico es inteligente, Ratero, pero es lo mismo que un campo sin sembrar. El chico podría ir a la escuela de Torrecillórigo y el día de mañana ya nos apañaríamos para que estudiara una carrera. Tú, Ratero, únicamente tienes que decirme, sí o no. Si tú dices sí, yo me cojo al chico . . .

—El Nini es mío — dijo el Ratero, enfurruñado.

La voz de doña Resu se destempló:

—Está bien, Ratero, guárdatele. No quisiese que el día de mañana te arrepintieras de esto.

Al atardecer, cuando en el pueblo se encendieron las primeras luces y los vencejos se recogían, chillando excitadamente, en los aleros del campanario, doña Resu se llegó al Ayuntamiento:

—Esta gente — le dijo al Justito malhumorada — mataría por mejorar de condición, pero si les ofreces regalada una oportunidad, te matarían porque no les obligasen* a aceptarla, ¿te das cuenta, Justo?

El Justito, el Alcalde, se golpeó tres veces la frente con un dedo y dijo:

—Al Ratero le falta de aquí.* Si no rebuzna es porque no le enseñaron.

El José Luis terció:

—¿Y por qué no le hacemos un test?

—¿Un test? dijo doña Resu.

—A ver. Esas cosas que se preguntan. Si hay un médico que dice que está chaveta o que es un retrasado se le encierra y en paz.*

Al Justito se le iluminó la cara:

—¿Como al Peatón? — preguntó.

—Tal cual.

Dos meses atrás al regresar un domingo de Torrecillórigo, el Agapito, el Peatón, atropelló a un niño con la bicicleta y para dictaminar sobre su responsabilidad se le sometió en la capital a un cuestionario y los doctores llegaron a la conclusión de que la inteligencia del Peatón era pareja a la de una criatura de ocho años. Al Agapito le divirtió mucho la prueba y desde entonces se volvió un poco más locuaz y, a cada paso, utilizaba las preguntas en la cantina como acertijos. "¿Te hago un «test»?" decía. Otras veces se ufanaba de su actuación y decía: "Y el doctor me dijo: «Si en los accidentes de ferrocarril el vagón de cola es el que da más muertos y heridos, ¿qué se le ocurriría a usted para evitarlo?» Y yo le dije: «Si no es más que eso, doctor, bien sencillo es: quitarle». La gente de la capital se piensa que los de los pueblos somos tontos".

—Si el Jefe lo autoriza, un test podría ser la solución—dijo el Justito.

Doña Resu bajó los ojos y dijo:

—Al fin y al cabo si nos tomamos estas molestias es por su bien. El Ratero tiene el caletre de un niño y no adelantaremos nada tratándole como a un hombre.

14

Por la Pascuilla, estuvo a punto de ocurrir en el pueblo una gran desgracia. Poco antes de comenzar la fiesta, el badajo de la campana golpeó la nuca del Antoliano y el Mamertito, el chico del Pruden, se deslizó desde la torre con el cable amarrado a la cintura. Felizmente, el Antoliano se rehizo a tiempo, pisó el cable y el Mamertito quedó penduleando en el vacío, con la ajada túnica azul celeste arrebujada en los sobacos y sus alitas blancas de plástico quebradas por la violencia del tirón.

El Nini, desde la Plaza, contemplaba el incidente sobrecogido, pues hacía tan sólo dos años era él quien desempeñaba el papel del Mamertito, pero Matías Celemín, el Furtivo, pese a que la víspera se le había muerto la galga, soltó una risotada a sus espaldas y dijo: "Parece un sisón alicortado, el bergante". La cosa, sin embargo, no pasó a mayores* y doña Resu, el Undécimo Mandamiento, ordenó al Antoliano que izase de nuevo a la criatura ya que faltaban los extremeños y la fiesta no podía comenzar.

A doña Resu, el Undécimo Mandamiento, le costó transigir con las imposiciones de Guadalupe, el Capataz, pero la decepción causada en los hombres del pueblo por el asunto del petróleo no se había disipado del todo y según le dijo el Rosalino, el Encargado, "este año no tenían humor para hacer el payaso". Sólo tras laboriosas gestiones logró doña Resu reclutar seis Apóstoles, mas Guadalupe, el Capataz, se mostró irreductible en este aspecto:

—Todos o ninguno, doña Resu, ya lo sabe. Los extremeños somos así.

Y antes que permitir que la Pascuilla se desluciese, doña Resu autorizó a los doce extremeños para que vistiesen los remendados sayales de los apóstoles.

Sobre la Plaza polvorienta se cernía un sol henchido y pegajoso, y muy altos, allá donde el rumor del gentío no alcanzaba, evolucionaban perozosamente tres buitres negros. El Nini, el chiquillo, ignoraba dónde habitaban aquellas aves, pero bastaba el cadáver de un gato o de un cordero en los barbechos para que irrumpiesen por encima de los cuetos. Bajo ellos, las bandadas de vencejos se lanzaban en espasmos inverosímiles contra los vanos de la torre, acompañando sus movimientos de un chirrido ensordecedor.

Finalmente, tras la esquina de la iglesia, aparecieron los extremeños. El Nini los vio aproximarse con sus pesados andares, asomando bajo las túnicas polícromas los bastos pantalones de pana y las botazas embarradas de greda. Las pelucas despeluzadas, torpemente superpuestas, se derramaban sobre sus hombros, y no obstante, el grupo aparentaba una bíblica prestancia que acrecía sobre el fondo de casas de adobe y las sarmentosas bardas de los corrales.

El pueblo les abrió calle y los extremeños desfilaron cabizbajos y silenciosos por ella y, al llegar a las escaleras del templo, se desperdigaron entre la multitud y comenzaron a abrir puertas, y a saltar tapias y a levantar piedras, en una enfebrecida búsqueda, hasta que doña Resu, ataviada con la túnica azul y el velo blanco de la Virgen, hizo una señal imperceptible al Antoliano y el Mamertito comenzó a descender, pausadamente ahora, desde lo alto de la torre, oscilando sobre el gentío, las alas aún desfasadas, pero lleno de unción y trascendencia.

Al divisar al Ángel, la Virgen, los Apóstoles y el pueblo se prosternaron llenos de estupor y se abrió un silencio espeso y sobre el chillido histérico de los vencejos se alzó la dulce voz del Mamertito:

—No le busquéis — dijo —. Jesús, el llamado Nazareno, ha resucitado.*

El Mamertito evolucionó aún sobre la plaza unos instantes, en tanto los fieles se persignaban y el Antoliano iba, poco a poco, recogiendo cable. Tan pronto desapareció el Ángel tras el vano de la torre, doña Resu se incorporó penosamente y dijo:

—Alabámoste Cristo y bendecímoste.

Y el pueblo devoto coreó:

—Que por tu Santa Cruz redimiste al mundo.*

Acto seguido, todos penetraron en el templo y se postraron de hinojos, mientras arriba en el coro, Frutos, el Jurado, daba suelta a una paloma del palomar del Justo. El animal desconcertado, sobrevoló unos minutos la multitud, golpeándose varias veces contra las vidrieras, y, al fin, fue a posarse aturdidamente sobre el hombro derecho de la Simeona. Entonces el Undécimo Mandamiento se volvió al pueblo desde las gradas del altar y le dijo a la Sime campanudamente:

—Hija, el Espíritu ha descendido sobre ti.

La Sime meneaba el hombro disimuladamente, tratando de ahuyentar a la paloma, pero en vista de que era inútil se resignó y empezó a tragar saliva con unos ruiditos extraños, como si se ahogara, y por último se dejó conducir por doña Resu hasta el hachero y, una vez allí el pueblo desfiló ante ella y unos le besaban las manos, y otros hacían una genuflexión y los más tímidos dibujaban subrepticiamente sobre sus rostros requemados un garabato, como una furtiva señal de la cruz. Terminado el homenaje, la Sime, custodiada por los Apóstoles y precedida por la Virgen y el Ángel anunciador, que marcaban el paso a los acordes de la flauta y el tamboril, desfiló por las calles del pueblo, mientras la noche caía blandamente sobre los cerros.

Al iniciarse la procesión, el Nini corrió junto al Centenario que apenas era ya un revoltijo de huesos bajo la lavativa:

—Señor Rufo — le dijo jadeante —, la paloma se le posó a la Sime esta tarde.

El viejo suspiró, levantó dificultosamente un dedo hacia el techo y dijo:

—Los buitres ya andan arriba. Los sentí esta mañana.

—Yo les vi — dijo el niño —. Eran tres* y volaban sobre la torre. Vienen por la galga del Furtivo.

El Centenario denegó obstinadamente con la cabeza. Al cabo dijo, con un gran esfuerzo, señalándose el hombro izquierdo:

—Esos vienen a posarse aquí.

Y en efecto, a la tarde siguiente, San Francisco Caracciolo, falleció el Centenario. La Sime acostó el cadáver en el suelo del zaguán, boca arriba, sobre una arpillera, y le quitó el trapo de la cara de forma que el hueso rebrillara a la luz de los cirios. En derredor se congregó el pueblo enlutado y silencioso y la Sime le dijo al Nini apenas entró:

—Ahí le tienes. Al fin descansamos los dos.

Mas el tío Rufo no parecía descansar, con su único ojo y la boca patéticamente abiertos. Ni la Sime parecía descansar tampoco, porque tragaba saliva sin cesar, con unos ruiditos ahogados, como la víspera, cuando el Espíritu descendió sobre ella. Pero a cada uno que llegaba le endilgaba la misma cosa y cuando el moscón, luego de estar posado diez minutos en las descarnaduras del Centenario, empezó a volar sobre la concurrencia, todos hacían aspavientos para ahuyentarle excepto la Sime y el niño. Y el moscón retornaba sobre el cadáver que era, sin duda, el más desapasionado de todos, pero cada vez que reanudaba el vuelo, los hombres y las mujeres abanicaban disimuladamente el aire para que no se les posase, y de este modo, producían un siseo como el de las aspas de un ventilador. Media hora más tarde se presentó el Antoliano con el cajón de pino oliendo todavía a resina, y la Sime pidió que la echasen una mano, pero todos ronceaban, hasta que entre ella, el Nini y el Antoliano, lograron encerrarle, y como el Antoliano, por ahorrar material, había tomado las medidas justas, el tío Rufo quedó con la cabeza empotrada entre los hombros como si fuese jorobado o estuviera diciendo que a él ninguna cosa de este mundo le importaba nada.

A media tarde, llegó don Ciro, el cura, con el Mamertito, roció el cadáver con el hisopo y se postró a sus pies y dijo angustiosamente:

—Inclina, Señor, tu oído a nuestras súplicas con las que imploramos tu misercordia a fin de que pongas en el lugar de la paz y la luz al alma de tu siervo Rufo al cual mandaste salir de este mundo. Por Nuestro Señor Jesucristo . . .

Y el Mamertito dijo:

—Amén.

Y en ese instante el moscón se arrancó del cadáver y voló derechamente a la punta de la nariz de don Ciro, pero don Ciro, con los ojos bajos, las manos cruzadas mansamente sobre la sotana parecía en éxtasis y no reparó en ello. Y el acompañamiento se daba de codo y murmuraba: "El cáncer le roerá la nariz", pero don Ciro proseguía imperturbable, hasta que, sin amago previo, estornudó ruidosamente y el moscón, asustado, buscó refugio, de nuevo, en el cadáver.

Al concluir las preces, la señora Clo se presentó con el libro apolillado y la Sime dijo:

—¿Qué? Era del viejo.

En la primera página decía: "SERMONES PARA LOS MISTERIOS MÁS CLÁSICOS DE LAS FESTIVIDADES DE JESUCRISTO Y DE MARÍA SANTÍSIMA. EL AUTOR ES EL LICENCIADO EN SAGRADOS CÁNONES DON JOAQUÍN ANTONIO DE EGUILETA, PRESBÍTERO Y CAPELLÁN MAYOR DE LA IGLESIA DE SAN IGNACIO DE LOYOLA DE ESTA CORTE. TOMO III. MADRID MDCCXCVI. CON LAS LICENCIAS NECESARIAS".

La Sime levantó los ojos y repitió:

—¿Qué? Era su libro.

—Mira — dijo la señora Clo.

Y abrió por la mitad y apareció un papel plegado, envolviendo un billete de cinco pesetas. Y en el papel, torpemente garrapateado, decía: *Reserbas para con parme la dentadura.** Y en la página siguiente había otro billete de cinco pesetas, y otro en la otra y así hasta veinticinco. La señora Clo se ensalivó el pulgar, repasó el dinero expertamente, billete a billete, y se lo entregó a la Simeona.

—Toma — la dijo — esto que te tienes. La dentadura de nada puede servirle al viejo.*

Al día siguiente, San Bonifacio y San Doroteo, cuando los mozos izaron las andas, los comentarios del pueblo giraban en torno al hallazgo de la señora Clo, pero más aún que los billetes sorprendió el hecho de que* el Centenario tuviera un libro en su casa. Y decía el Malvino con evidente escepticismo: "Luego que si sabe o deja de saber. ¿Y quién no sabe teniendo un libro a la mano, digo yo?"*

Hasta la iglesia, los mozos hicieron tres posas con el ataúd y, en cada una, don Ciro rezó los oportunos responsos, mientras la Sime se impacientaba sobre el carrillo, junto al Nini, y el Duque, el perro, amarrado a la trasera, con la soga como un dogal, gañía destempladamente. Una vez en la iglesia, apenas los hombres depositaron el féretro en el carro, la Sime azuzó el borrico y éste emprendió veloz carrera entre el estupor de la concurrencia. La Sime llevaba el cabello desgreñado, la mirada brillante y las mandíbulas crispadas, pero hasta alcanzar el alcor no despegó los labios. Le dijo, entonces, al Nini:

—Y tú, qué pintas aquí, ¿di?

El niño la miró gravemente:

—Sólo quiero acompañar al viejo — dijo.

Ya en el camposanto, entre los dos, arrastraron el ataúd a la zanja y la muchacha empezó a echar sobre él paletadas de tierra con mucho brío. La caja sonaba a hueco y los ojos de la Sime se iban humedeciendo a cada paso, hasta que el Nini se encaró con ella:

—Sime, ¿es que te ocurre algo?

Ella se pasó el envés de la mano por la frente. Dijo luego, casi furiosa:

—¿No ves la polvareda que estoy armando?*

Al salir, junto a la verja, el Loy olisqueaba el rabo del Duque y sobre los tesos se extendía una indecible paz. La Sime señaló al Loy con la pala:

—Ni se da cuenta que es su padre, ya ves qué cosas.*

De regreso, el borrico sostenía un trotecillo cochinero que se hizo más vivo al descender del alcor. Pero la Sime condujo el carro por la senda de la Cotarra Donalcio y entró en el pueblo por la iglesia en lugar de hacerlo por el almacén del Poderoso. Le dijo el Nini:

—Sime, ¿es que no vas a casa?

—No — dijo la Sime.

Y ante la puerta del Undécimo Mandamiento detuvo el carrillo, se apeó y llamó con dos secos aldabonazos. Doña Resu al abrir, tenía cara de dolor de estómago:

—Sime, mujer — dijo —, el undécimo no alborotar.

El Nini esperaba que la Sime respondiera desabridamente, pero ante su sorpresa, la muchacha se humilló y dijo en un susurro:

—Disculpe, doña Resu; si no le importa,* acompáñeme a la iglesia. Quiero ofrecerme.*

El Undécimo Mandamiento se santiguó, luego se apartó de la puerta y dijo:

—Alabado sea Dios. Pasa hija. El Señor te ha llamado.

15

Por Nuestra Señora de la Luz brotaron las centellas en el prado y el Nini se apresuró a enviar razón al Rabino Grande para que alejara las ovejas, pues según sabía por el Centenario, la oveja que come centellas cría galápago en el hígado y se inutiliza. Aquella misma tarde, el Pruden informó al niño que los topos le minaban el huerto e impedían medrar las acelgas y las patatas. Al atardecer el Nini descendió al cauce y durante una hora se afanó en abrir en el suelo pequeñas calicatas para comunicar las galerías. El Nini sabía, por el abuelo Román, que formando corriente en las galerías el topo se constipa y con el alba abandona su guarida para cubrirlas. El Nini trabajaba con parsimonia, como recreándose, y, en su quehacer, se guiaba por los pequeños montones de tierra esponjosa que se alzaban en derredor. La Fa, repentinamente envejecida, le veía hacer jadeando desde un sombrajo de carrizos, mientras el Loy, el cachorro canela, correteaba en la cascajera persiguiendo a las lagartijas.

Al día siguiente, San Erasmo y Santa Blandina, antes de salir el sol, el niño bajó de nuevo al huerto. La calina difuminaba las formas de los tesos que parecían más distantes, y en las plantas se condensaba el rocío. Junto al ribazo voló ruidosamente una codorniz, en tanto los grillos y las ranas que anunciaban alborozadamente la llegada del nuevo día, iban enmudeciendo a medida que el niño se aproximaba. Ya en el huerto, el Nini se apostó en un esquinazo junto al arroyo, y, apenas transcurridos diez minutos, un rumor sordo, semejante al de los conejos embardados, le anunció la salida del topo. El animal se movía torpemente, haciendo frecuentes altos, y, tras una última vacilación, se dirigió a una de las calicatas abiertas por el niño y comenzó a acumular tierra sobre el agujero arrastrándola con el hocico. El Loy, el cachorro, al divisarle, se agachó sobre las manos y le ladró furiosamente, brincando en extrañas fintas, pero el niño le apartó, regañándole, tomó el topo con cuidado y lo guardó en la cesta. En menos de una hora capturó tres topos más y apenas el resplandor rojo del sol se anunció sobre los cuetos y tendió las primeras sombras el Nini se incorporó, estiró perezosamente los bracitos y dijo a los perros: "Andando". Al pie del Cerro Colorado, el José Luis, el Alguacil, abonaba los barbechos y poco más abajo, en la otra ribera del arroyo, el Antoliano ataba pacientemente las escarolas y las lechugas para que blanqueasen. Desde el pueblo llegaba el campanilleo del rebaño y las voces malhumoradas y soñolientas de los extremeños en el patio del Poderoso.

Veinte metros río abajo, al alcanzar los carrizos, se arrancó inopinadamente el águila perdicera. Era un hecho anómalo que el águila pernoctase en los juncos y el Nini no tardó en descubrir el nido burdamente construido sobre una zarza con cuatro palos entrelazados recubiertos con una piel de lebrato. Dos pollos, uno de mayor tamaño que otro, le enfocaban sus redondos ojillos desconfiados, levantando sus corvos picos en actitud amenazadora. El niño sonrió, arrancó un junco y se entretuvo un rato provocándoles, aguijoneándoles hasta hacerles desesperar.* Arriba, en el azul del cielo, el águila madre describía grandes círculos, por encima de su cabeza.

El Nini silenció su descubrimiento, pero cada tarde descendía a la junquera para observar el progreso de los pollos, las evoluciones de la madre que, de vez en cuando, retornaba al nido apresando entre sus garras rapaces un lagarto, una rata o una perdiz. A cada incursión, el águila, encaramada en lo alto de la zarza, oteaba desafiante y majestuosa los alrededores, antes de desollar la pieza para entregársela a sus crías. El niño, oculto entre los juncos, espiaba sus movimientos, la avidez descompuesta de los aguiluchos devorando la presa, la orgullosa satisfacción del águila madre antes de remontarse de nuevo en la altura. De este modo, los aguiluchos iban emplumando y desarrollándose, hasta que una tarde, el Nini descubrió que el más pequeño había desaparecido del nido y el grande había sido amarrado con un alambre al tronco del zarzal. Mientras cortaba la atadura precipitadamente, penzó en Matías Celemín, el Furtivo, y, a poco, ya no pensó en nada porque el águila picaba en vertical sobre él desde una altura de 300 metros y la Fa y el Loy ladraban mirando a lo alto sin cesar de recular. El águila, en su descenso, apenas rozó el nido, sujetó entre sus garras la cría liberada, y se remontó de nuevo con ella en dirección al monte.

Dos días más tarde, el Triunfo de San Pablo, salió el norte y el tiempo refrescó. Los crepúsculos eran más fríos y los grillos y las codornices amortiguaron sus conciertos vespertinos. Al día siguiente, San Medardo, amainó el viento y, al atardecer, el cielo levantó y sobre el pueblo se cernió una atmósfera queda y transparente. Ya noche cerrada, asomó la luna, una luna blanca y lejana, que fue alzándose gradualmente sobre los tesos. Cuando el Ratero y el Nini llegaron a la taberna, el Chuco, el perro del Malvino, ladraba airadamente a la luna desde el corral y sus ladridos tenían una resonancia cristalina. El Malvino se descompuso. Dijo:

—¿Qué le ocurre a este animal esta noche?

Poco a poco, sin acuerdo previo, fueron llegando a la cantina todos los hombres del pueblo. Entraban diseminados, uno a uno, la negra boina capona calada hasta las orejas y antes de sentarse en los bancos miraban en torno medrosos y desconfiados. Tan sólo, de tiempo en tiempo, se sentía el golpe de un vaso sobre una mesa o una airada palabrota. La atmósfera iba llenándose de humo y cuando el Pruden apareció en la puerta veinte rostros curtidos se volvieron a él patéticamente. El Pruden vaciló en el umbral. Parecía muy pálido e inseguro. Dijo:

—Mucho brillan los luceros, ¿no amagará la helada negra?

Le respondió el silencio y, al fondo, el enconado y metódico ladrido del Chuco, en el corral. El Pruden miró en torno antes de sentarse y entonces oyó el juramento del Rosalino, el Encargado, a sus espaldas y, al volverse, el Rosalino le dijo:

—Si yo fuera Dios pondría el tiempo a tu capricho sólo por no oírte.*

Tras la oscura voz del Rosalino, el silencio se hizo más espeso y dramático. El José Luis, el Alguacil, rebulló inquieto antes de decir:

—Malvino, ¿no podrías callar ese perro?

Salió el tabernero y desde dentro se oyó el puntapié y el aullar dolorido del animal en fuga. En la estancia pareció aumentar la tensión al regresar el Malvino. Dijo, brumosamente, Guadalupe, el Capataz, al cabo de un rato:

—¿Dónde se ha visto que hiele por San Medardo?*

Los cuarenta ojos convergieron ahora sobre él y Guadalupe, para ahuyentar su turbación, apuró el vaso de golpe. Malvino se llegó a él con la frasca y se lo llenó sin que el otro lo pidiera. Dijo luego, con la frasca en la mano, encarándose ya, decididamente, con lo inevitable:

—Eso no. Va para veinte años de* la helada de Santa Oliva, ¿os recordáis? El cereal estaba encañado y seco y en menos de cuatro horas todo se lo llevó la trampa.

El hechizo se rompió de pronto:

—No llegarían a diez fanegas lo que cogimos en el término —añadió el Antoliano.

Justito, el Alcalde, desde la mesa del rincón voceó:

—Eso ocurre una vez. Un caso así no volveremos a verlo.*

El Antoliano accionaba mucho con sus manazas en la mesa inmediata explicándole al Virgilio, el de la señora Clo, el desastre:

—Las argayas estaban como chamuscadas, ¿oyes? Lo mismo que si el fuego hubiera pasado sobre ellas. Lo mismo. Todo carbonizado.

El tabernero llenaba los vasos, y las lenguas, al principio remisas, iban entrando en actividad. Se diría que mediante aquella ardiente comunicación esperaban ahora conjurar el peligro. De pronto, dominando las conversaciones, se oyó de nuevo el lastimero aullido del Chusco en el patio.

Dijo el Nini:

—El perro ése ladra como si hubiera un muerto.

Nadie le respondió y los aullidos del Chuco, cada vez más modulados, recorrieron las mesas como un calambre. El Malvino salió al patio. Su blasfemia se confundió con el llanto quejumbroso del perro y el portazo del Furtivo al entrar. Dijo Matías Celemín, resollando como si terminara de hacer un largo camino:

—Buena está cayendo.* Los relejes están tiesos como en enero. En la huerta no queda un mato en pie. ¿A qué viene este castigo?*

De todos los rincones se elevó un rumor de juramentos reprimidos. Sobre ellos retumbó la voz del Pruden excitada, vibrante:

—¡Me cago en mi madre!* —chilló—. ¿Es esto vivir? Afana* once meses como un perro y, luego, en una noche . . . —Se volvió al Nini. Su mirada febril se concentraba en el niño expectante y ávida:

—Nini, chaval —agregó—, ¿es que ya no hay remedio?

—Según —dijo el chiquillo gravemente.

—Según, según . . . ¿según qué?

—El viento —respondió el niño.

El silencio era rígido y tenso. Las miradas de los hombres convergieron ahora sobre el Nini como los cuervos en octubre sobre los sembrados. Inquirió el Pruden:

—¿El viento?

—Si con el alba vuelve el norte arrastrará la friura y la espiga salvará. La huerta ya es más difícil —dijo el niño.

El Pruden se puso en pie y dio una vuelta entre las mesas. Andaba como borracho y reía ahora como un estúpido:

—¿Oísteis? — dijo —. Aún hay remedio, ¿Por qué no ha de salir el viento? ¿No es más raro que hiele por San Medardo y sin embargo, está helando? ¿Por qué no ha de salir el viento?

Cesó repentinamente de reír y observó en torno esperando el asentimiento de alguien, pero repasó todos los rostros, uno a uno, y no vio más que una nube de escepticismo, una torva resignación allá en lo hondo de las pupilas. Entonces volvió a sentarse y ocultó el rostro entre las manos. Tras él, el Antoliano le decía al Ratero a media voz: "No hay ratas, la cosecha se pierde, ¿puede saberse qué coños* nos ata a este maldito pueblo?" El Rabino Chico tartamudeó: "La tie .. La tierra — dijo —. La tierra es como la mujer de uno". El Rosalino gritó desde el otro extremo: "¡Tal cual, que te la pega con el primero que llega!" Mamés, el Mudo, hacía muecas junto al Furtivo, unas muecas aspaventeras como cada vez que se ponía nervioso. Matías Celemín voceó de pronto: "¡Calla, Mudo, leche, que mareas!" El Frutos, el Jurado, dijo entonces: "¿Y si cantara el Virgilio?"* Y, como si aquello fuera una señal, vocearon simultáneamente de todas las mesas: "¡Venga, Virgilio, tócate un poco!" Agapito, el Peatón, empezó a palmear el tablero acompasadamente con las palmas de las manos. El Justito, que desde hacía dos horas bebía sin parar del porrón, levantó su voz sobre los demás: "¡Dale, Virgilio, la que sea sonará!" Y el Virgilio carraspeó por dos veces y se arrancó por "El Farolero" y el Agapito y el Rabino Grande batieron palmas y, a poco, el Frutos, el Guadalupe, el Antoliano y el José Luis se unieron a ellos. Minutos más tarde, la taberna hervía y las palmas se mezclaban con las voces enloquecidas entonando desafinadamente viejas y doloridas canciones. El humo llenaba la estancia y Malvino, el tabernero, recorría las mesas y colmaba los vasos y los porrones sin cesar. Fuera, la luna describía sigilosamente su habitual parábola sobre los tesos y los tejados del pueblo y la escarcha iba cuajando en las hortalizas y las argayas.

El tiempo había dejado de existir y al irrumpir en la taberna la Sabina, la del Pruden, los hombres se miraron ojerosos y atónitos, como preguntándose la razón por la que se encontraban allí congregados. El Pruden se frotó los ojos y su mirada se cruzó con la mirada vacía de la Sabina y, entonces, la Sabina gritó:

—¿Puede saberse qué sucede para que arméis este jorco a unas cinco de la mañana? ¿Es que todo lo que se os ocurre es alborotar como chicos cuando la escarcha se lleva la cosecha? — Avanzó dos pasos y se encaró con el Pruden —: Tú, Acisclo, no te recuerdas ya de la helada de Santa Oliva, ¿verdad? Pues la de esta noche aún es peor, para que lo sepas.* Las espigas no aguantan la friura y se doblan como si fueran de plomo.

Repentinamente se hizo un silencio patético. Parecía la taberna, ahora, la antesala de un moribundo, donde nadie se decidiera a afrontar los hechos, a comprobar si la muerte se había decidido al fin. Una vaca mugió plañideramente abajo, en los establos del Poderoso y como si esto fuera la señal esperada, el Malvino se llegó al ventanuco y abrió de golpe los postigos. Una luz difusa, hiberniza y fría se adentró por los cristales empañados. Pero nadie se movió aún. Únicamente al alzarse sobre el silencio el ronco quiquiriquí del gallo blanco del Antoliano, el Rosalino se puso en pie y dijo: "Venga, vamos". La Sabina sujetaba al Pruden por un brazo y le decía: "Es la miseria, Acisclo, ¿te das cuenta?" Fuera, entre los tesos, se borraban las últimas estrellas y una cruda luz blanquecina se iba extendiendo sobre la cuenca. Los relejes parecían de piedra y la tierra crepitaba al ser hollada como cáscaras de nueces. Los grillos cantaban tímidamente y desde lo alto de la Cotarra Donalcio llamaba con insistencia un macho de perdiz. Los hombres avanzaban cabizbajos por el camino y el Pruden tomó al Nini por el cuello y a cada paso le decía: "¿Saldrá el norte, Nini? ¿Tú crees que puede salir el norte?" Mas el Nini no respondía. Miraba ahora la verja y la cruz del pequeño camposanto en lo alto del alcor y se le antojaba que aquel grupo de hombres abatidos, adentrándose por los vastos campos de cereales, esperaba el advenimiento de un fantasma. Las espigas se combaban, cabeceando, con las argayas cargadas de escarcha y algunas empezaban ya a negrear. El Pruden dijo desoladamente, como si todo el peso de la noche se desplomara de pronto sobre él: "El remedio no llegará a tiempo".

Abajo, en la huerta, las hortalizas estaban abatidas, las hojas mustias, chamuscadas. El grupo se detuvo en los sembrados encarando el Pezón de Torrecillórigo y los hombres clavaron sus pupilas en la línea, cada vez más nítida, de los cerros. Tras la Cotarra Donalcio la luz era más viva. De vez en cuando, alguno se inclinaba sobre el Nini y en un murmullo le decía: "Será tarde ya, ¿verdad, chaval?" Y el Nini respondía: "Antes de asomar el sol es tiempo. Es el sol quien abrasa las espigas". Y en los pechos renacía la esperanza. Pero el día iba abriendo sin pausa, aclarando los cuetos, perfilando la miseria de las casas de adobes y el cielo seguía alto y el tiempo quedo y los ojos de los hombres, muy abiertos, permanecían fijos, con angustiosa avidez, en la divisoria de los tesos.

Todo aconteció de repente. Primero fue un soplo tenue, sutil, que acarició las espigas; después, el viento tomó voz y empezó a descender de los cerros ásperamente, desmelenado, combando las cañas, haciendo ondular como un mar las parcelas de cereales. A poco, fue un bramido racheado el que sacudió los campos con furia y las espigas empezaron a pendulear, aligerándose de escarcha, irguiéndose progresivamente a la dorada luz del amanecer. Los hombres, cara al viento, sonreían imperceptiblemente, como hipnotizados, sin atreverse a mover un solo músculo por temor a contrarrestar los elementos favorables. Fue el Rosalino, el Encargado, quien primero recuperó la voz y volviéndose a ellos dijo:

—¡El viento! ¿Es que no le oís? ¡Es el viento!

Y el viento tomó sus palabras y las arrastró hasta el pueblo, y entonces, como si fuera un eco, la campana de la parroquia empezó a repicar alegremente y, a sus tañidos, el grupo entero pareció despertar y prorrumpió en exclamaciones incoherentes y Mamés, el Mudo, babeaba e iba de un lado a otro sonriendo y decía: "Je, je". Y el Antoliano y el Virgilio izaron al Nini por encima de sus cabezas y voceaban:

—¡Él lo dijo! ¡El Nini lo dijo!

Y el Pruden, con la Sabina sollozando a su cuello, se arrodilló en el sembrado y se frotó una y otra vez la cara con las espigas, que se desgranaban entre sus dedos, sin cesar de reír alocadamente.

16

Los diminutos huertos de junto al arroyo quedaron abrasados por la helada negra. No obstante, los hombres del pueblo descendieron obstinadamente a sus parcelas y sembraron las tierras de acederas,

berros picantes, escarolas rizadas, guisantes tiernos, perifollos, pue-
rros y zanahorias tempranas. Rosalino, el Encargado, aligeró el
majuelo de raíces y rebrotes en los patrones injertados y el Nini, el
chiquillo, se ocupó de eliminar los zánganos de las colmenas y seleccionar los conejos para la reproducción. Un sol, todavía clemente,
estabilizó la temperatura, y bajo sus rayos los cereales terminaron de
encañar y de granar y se secaron en pocos días. En el pueblo, acreció
entonces la actividad. A toda hora, los hombres y las mujeres limpia-
ban las eras y preparaban los aperos para la trilla y, al atardecer,
desinfectaban los graneros dispuestos para recibir el cereal. Sobre
el cielo, de un azul intenso, volaron un día las cigüeñas nuevas de la
torre anticipándose al dicho del difunto señor Rufo: "Por San Juan,
las cigüeñas a volar".* Así y todo, cada mañana, las miradas de los
hombres del pueblo se concentraban en el Portón del Noroeste que
en la primera decena del mes se mantuvo sereno y despejado. El
Pruden decía a cada paso: "Lo que hace falta ahora es que no llueva".
El difunto Centenario solía apostillar con su proverbial contundencia: "Agua en junio, trae infortunio". Y los hombres de la cuenca
aguardaban el sol cada mañana con la misma vehemencia con que
aguardaban la lluvia por Nuestra Señora de Sancho Abarca o por San
Saturio. Sin embargo, entre el vecindario cundió un optimismo prematuro por San Basilio, el Magno. El hecho de haber salvado el cereal
de la helada negra les imbuía una locuacidad desbordada. "Mal que
bien, la cosecha va salvando" — decían. Pero la señora Librada, más
vieja o más precavida, advertía: "Aguarda a tener el trigo en la
panera antes de hablar".

Por su parte, el tío Ratero no esperaba nada del tiempo. Su hermetismo era cada vez más hosco e irreductible. Durante el día
apenas despegaba los labios y por las noches, al acostarse en las
pajas, le decía invariablemente al Nini:

—Mañana habrá que bajar.

El niño le frenaba:

—Aguarde. Por San Vito se abre el cangrejo.

—¿El cangrejo?

—Lo mismo viene buen año. ¿Quién sabe?

Una semana atrás, por Santa Orosia, las cosas estuvieron a
punto de resolverse cuando Justo Fadrique, el Alcalde, que se
había colocado una corbata verde y roja como en las grandes

solemnidades, le dijo al Ratero a bocajarro en la taberna del Malvino:

—Ratero, ¿qué dirías si te ofreciera un jornal de 30 pesetas y mantenido?

El Ratero se pasó la punta de la lengua por los labios agrietados. Después se rascó ásperamente el cogote bajo la boina. Se diría que iba a exponer un largo razonamiento, pero sólo dijo:

—Según.

—¿Según qué?

—Según.

—Mira, basta con que subas a las cuestas a hacer hoyas con los extremeños — señaló al Nini —: Por supuesto, el chaval puede subir también y comer contigo.

El Ratero reflexionó unos instantes:

—Vale — dijo al fin.

Justo Fadrique se pellizcó mecánicamente la barbilla recién afeitada. Lo mismo hizo dos tardes atrás, en la ciudad, cuando el abogado le dijo: "Si ese sujeto no ha cambiado últimamente no hay razón alguna para someterle a un test y privarle de la patria potestad". Ahora, el Justito miró al Ratero largamente y dijo con afectada indiferencia:

—Sólo te pongo por condición que dejes la cueva.

El Ratero levantó los ojos:

—La cueva es mía — dijo.

Justo Fadrique se acodó en la mesa y añadió pacientemente:

—Date a razones, Ratero. La casa de la Era Vieja renta veinte duros* y tú vas a ganar ciento ochenta y mantenido. ¿Qué te parece?

—La cueva es mía — repitió el Ratero.

Justo Fadrique estiró los antebrazos sobre el tablero y dijo haciendo un esfuerzo por suavizar la voz:

—Está bien, te la compro. ¿Qué quieres por ella?

—Nada.

—¿Nada? Ni mil.

—No.

—Tendrá un precio; algo valdrá, digo yo.

—Algo.

—¿Cuánto? ¡Di!

El Ratero sonrió socarronamente:

—La cueva es mía — dijo.

Justo Fadrique meneó la cabeza de un lado a otro y, al fin, fijó en el Ratero sus pupilas encolerizadas:

—Yo podría conseguir — dijo — que Luisito, el de Torrecillórigo, no te quitara las ratas. ¿Qué te parece?

El rostro del Ratero se transformó en un instante. Las aletillas de la nariz se dilataron y sus labios se apretaron hasta quedar exangües:

—Ya lo haré yo — dijo.

Justito se levantó:

—No tienes agallas — dijo —. En todo caso, piénsatelo. Si tú lo quieres, yo podría ayudarte.

A partir de entonces, el Ratero pasaba las horas vigilando el cauce. Vivía en un estado de exaltación reprimida y por las noches no acertaba a conciliar el sueño.* Algunas mañanas ascendía al Pezón de Torrecillórigo y desde la cumbre oteaba incesantemente las márgenes del arroyo. Al anochecer se refugiaba en la taberna, o en los establos o en el poyo del taller del Antoliano. Y el Antoliano le decía: "Dos manos tienes, Ratero. Nadie necesita más". Y el Rosalino inclinaba la cabeza en dirección a Torrecillórigo y añadía: "Lo que es a mí me podía venir con ésas".* El Malvino, en la taberna, le apremiaba: "El río es tuyo, Ratero. Antes de que él echara los dientes* ya andabas tú en el oficio".

Mientras tanto, el Nini se desvivía resolviendo las dificultades de sus convecinos, pero rara vez el eliminar los zánganos de una colmena, o el capar un marrano, o el seleccionar los conejos defectuosos de un conejar, le proporcionaba más allá de dos reales en junto. El Malvino le decía: "Fija una tarifa, leche. ¿No lo hacen así los médicos y los abogados?" El Nini se encogía de hombros y le miraba con tan grave aplomo que el Malvino se desconcertaba y terminaba por callar.

Por San Vito se abrió la veda del cangrejo y el Nini bajó al río con las arañas y los reteles. Cebó las arañas con lombrices y los reteles con tasajo, y al caer el sol llevaba embuchadas cinco docenas y los cangrejos seguían acudiendo al engaño con facilidad. Al echarse la noche, el niño prendió el farol y sustituyó el tasajo de los reteles por tripas de gallina. Los grillos cantaban en torno y sobre su cabeza, en el primero de los tres chopos, palmoteaba una lechuza. A media-noche, el Nini recogió los bártulos, despertó a los perros y antes de regresar a la cueva, dejó tendida en el arroyo una cuerda para la anguila. Los cangrejos se escurrían dentro del saco y producían un rumor húmedo y untuoso.

El tío Ratero le esperaba, acuclillado en la boca de la cueva bajo el candil.

¿Viste a ése? — dijo antes de que el Nini coronase la meseta de tomillos.

—No — dijo el niño.

El Ratero rumió algo entre dientes. Agregó:

—¿Y los cangrejos?

—Once docenas y media — dijo el Nini. Y por primera vez en varias semanas el tío Ratero entreabrió los labios en una sonrisa.

—Si la Sime no baja este año todo irá bien —— añadió el niño.

La Sime fue en tiempos su más fuerte competidora. La Sime pescaba a mano, remangándose las sayas, dejando al descubierto unos muslos blancos y amorcillados. El dedo índice de su mano derecha tenía la yema encallecida y era éste el que introducía sin recelo en las cuevas o entre las berreras y donde el cangrejo se agarraba con voraz fruición. Con una técnica tan simplista hubo años que la Simeona capturó más de quinientas docenas. Adolfo, el del coche de línea, llevaba luego los cangrejos a la ciudad, clasificados por tamaños, para venderlos en el mercado. Pero este año la Simeona se había espiritualizado. Se soltó el pelo sobre los hombros y se enfundó en una bata negra, larga hasta los pies. Su atuendo era el mismo que usara la Eufrasia cinco años antes, la primera Ofrecida que recogió en su casa el Undécimo Mandamiento. La Sime, como la Eufrasia, pasaría tres años con doña Resu, realizando las tareas más arduas y humillantes, preparándose para profesar. El Malvino, en la taberna, solía decir: "Es la manera de tener criada gratis". El cambio repentino de la Simeona despertó, empero, la codicia de los hombres del lugar que aprovechaban cualquier coyuntura propicia para demandarla: "Sime, ¿qué harás del carro" "Lo necesito" — respondía invariablemente la Simeona. "¿Y del borrico?" — agregaban. "Lo necesito también" — respondía ella. Ellos se rascaban la cabeza y preguntaban al fin: "¿Y puede saberse para qué necesitas un carro y un borrico para el monjío?" La Sime contestaba sin vacilar: "Para el dote". En los últimos tiempos, el Nini rehuía a la Simeona porque cada vez que la encontraba ella se agachaba y decía:

"Humíllame". El niño denegaba con la cabeza: "Yo no sé de eso" —decía al fin. "Escúpeme" —añadía ella. El pequeño se negaba. "¿No oyes? —insistía ella—. Te digo que me escupas. Aprende a obedecer a las personas mayores". El niño se resistía, pero, a veces, terminaba por simular que lanzaba un escupitajo. Ella no se conformaba: "Así no. Más grande y a la cara. ¿Oyes?" Otras veces, la Sime se tumbaba en el suelo y le suplicaba que la pisara. Poco a poco el niño empezó a experimentar un repeluzno supersticioso hacia la Simeona.

Últimamente a la muchacha le dio por presagiar su muerte y decía, retorciéndose las manos, que "la cosa iba a ser tan rápida que ni tiempo tendría para lavarse".* Al Nini le hacía depositario de su última voluntad. "Atiende, Nini —decía—. Si yo muero quiero que el carro y el borrico sean para ti. El carro lo vendes y el importe me lo aplicas en misas. Del borrico dispón.* Lo puedes montar para salir al campo, pero cada vez que lo montes te acordarás de la Sime y me dirás una jaculatoria". "Qué es eso, Sime?" —inquiría el nino. "¡Jesús! ¿Así andas? La jaculatoria es una pequeña oración. Tú dices: 'Señor, perdona a la Simeona.' Nada más, ¿oyes? Pero cada vez que montes el borrico, ¿me entiendes?" "Sí, Sime, descuida" —asentía el niño. Ella se quedaba un momento pensativa. Luego agregaba: "O mejor todavía. Tú dirás cada vez que montes el burro: 'Señor, perdona los pecados que la Sime cometiera con la cabeza, luego con las manos, luego con el pecho, luego con el vientre y así cada vez con una cosa hasta llegar a los pies.' ¿Me entiendes, Nini?" El Nini la miraba serenamente. Al cabo dijo: "Sime, ¿es que con el vientre se pueden cometer pecados?" De pronto la Sime rompió a llorar. Tardó un rato en responderle. Al fin, dijo: "A ver, Nini, los más graves. El mío se llamaba Paquito y está en el camposanto junto a mi padre. ¿Es que no lo sabías?" "No, Sime" —replicó el niño. Ella se echó el cabello para atrás en un ademán impaciente. Dijo "Claro, eras muy crío entonces".

Pero por San Protasio y San Tribuno, la Sime enfermó de verdad y el Nini, al verla hundida en el jergón, recordó al Centenario muerto. Le dijo la muchacha:

—Óyeme, Nini. Si yo muero quiero que el carro y el borrico y el Duque sean para ti, ¿entiendes?

—Pero Sime... —apuntó el niño.

—Nada de Sime* — cortó ella —. Si yo muriese el dote no le voy a necesitar.

—Tú no vas a morirte, Sime. Ya se murió tu padre.

—Calla la boca. Ningún padre se muere por uno, ¿oyes?

—Bueno, Sime — dijo el niño acobardado.

Ella añadió:

—A cambio sólo te pido que no olvides lo que te dije, ¿recuerdas?

—Sí, Sime. Cada vez que suba al borrico le diré al Señor que perdone tus pecados empezando por la cabeza.

La Sime suspiró, aliviada:

—Está bien — dijo — Ahora humíllame. No me queda mucho tiempo para lavarme. Tengo prisa.

—¿Qué, Sime?

—¡Escúpeme! — dijo ella.

—No, Sime.

Ella hizo unos rápidos visajes con la cara:

—¿Es que no me oyes? ¡Escúpeme!

El niño reculaba hacia la puerta. En las afiladas facciones de la Simeona veía ahora al Centenario y a la abuela Iluminada muertos:

—Eso sí que no,* Sime.

En este instante se filtró por las rendijas de la ventana un alarido agudo y quejumbroso. La Sime se quedó inmóvil, guiñando levemente los ojos en un nervioso parpadeo y, de pronto, se cubrió el rostro con las manos y se arrancó a llorar histéricamente:

—Nini, ¿oíste? — dijo entre dos sollozos —. Es el diablo.

El niño se aproximó.

—Es el búho, Sime, no te asustes. Caza ratones en el tejado.

Entonces ella se tumbó de espaldas, soltó una risotada y se puso a decir cosas incoherentes.

Por Santa Editruda y Santa Agripina, la Simeona se restableció. El Nini, el chiquillo, se la encontró en la Plaza, todavía pálida y vacilante, y por primera vez desde que se ofreció no le encareció que la humillara. El Nini le preguntó:

—¿Estás bien, Sime?

—Bien ¿por qué?

—Por nada.*

Se quedaron un rato frente a frente como observándose con reticencia. Al fin, el Nini añadió:

—¿No bajarás este año a cangrejos, Sime?

—¡Uy, hijo! — dijo ella —. Eso se acabó. Yo ya no estoy para fiestas.*

A partir de esa noche, los cangrejos empezaron a mostrarse esquivos con los reteles y las arañas del Nini. Era lo mismo que el tiempo se mantuviese quedo o que soplara el sur o el noroeste. Al atardecer, los cangrejos abandonaban sus cuevas o sus cobijos bajo las berreras y merodeaban en torno a los reteles, pero sin decidirse a salvar el aro. El Nini por más que se esforzaba apenas conseguía atrapar más allá de una docena.

Al llegar a la cueva le decía al tío Ratero:

—La Sime me echó mal de ojo.

El Ratero se rascaba insistentemente el cráneo bajo la boina:

—¿Nada? — inquiría.

—Nada.

—Habrá que bajar entonces.

Mas el Nini, antes que destruir las camadas de primavera, prefirió volver a los lecherines y los lagartos. Hizo un esfuerzo por ampliar su clientela ofreciendo los lecherines de puerta en puerta. Una tarde se llegó donde el Furtivo a pesar de que su sonrisa carnicera le aterraba.

—Matías — le dijo —. ¿No necesitarás tú lecherines para los conejos?

—¿Lecherines? ¡Estás tú bueno,* bergante! ¿Es que no sabes que largué los conejos de que empezó la peste?

El Nini parpadeaba desconcertado y, de repente, el Furtivo le agarró por el pescuezo y añadió entornando los ojos como si le molestase la luz:

—A propósito, ¿no sabes tú quién fue el bergante que soltó el aguilucho del nido de la junquera?

—¿Un aguilucho en la junquera? — inquirió el niño —. Las águilas no anidan en la junquera, Matías, tú lo sabes.

—Pues esta vez anidó, ya ves; y un hijo de perra cortó el alambre con que amarré la cría, ¿qué te parece?

El Nini alzó los hombros y sus pupilas resplandecieron de inocencia. Agregó Matías Celemín, soltándole y cruzando solemnemente los brazos sobre el pecho:

—Oye una sola cosa y a ver si aprendes de una vez por todas.* Aún no sé quién es ese tal, pero si un día le agarro le voy a sacudir una mano de guantadas que no le van a quedar más ganas de entrometerse.

17

Un despiadado sol de fuego se elevó sobre los tesos por la Preciosa Sangre de Nuestro Señor* y abrasó la salvia y el espliego de las laderas. En tan sólo veinticuatro horas, el termómetro rebasó los treinta y cinco grados y la cuenca se sumió en un enervante sopor canicular. Los cerros se resquebrajaron bajo los ardientes rayos y el pueblo, en la hondonada, quedó como aprisionado por un aura de polvo sofocante. En torno crepitaban los trigos maduros, mientras los corros de cebada ya segados, con las morenas esparcidas por los rastrojos, denotaban un anticipado relajamieno otoñal. Bajo el bochorno, la vida languidecía y el infernal silencio de las horas centrales apenas se rompía por el piar lastimero de los gorriones entre los altos carrizos del arroyo. Al ponerse el sol, una caricia tibia descendía de las colinas y las gentes del pueblo aprovechaban la pausa para congregarse a las puertas de las casas y charlar quedamente en pequeños grupos. De los campos ascendía el seco aroma del bálago envuelto en el fúnebre lenguaje de las aves nocturnas, mientras las polillas golpeaban rítmicamente las lámparas o revoloteaban incansables en torno a ellas en órbitas desiguales. Del Cerro Merino llegaban los silbidos de los alcaravanes y, a su conjuro, los cínifes se desprendían de la maleza del río y bordoneaban por todas partes con agresiva contumacia. Era el fin del ciclo y los hombres al encontrarse en las calles polvorientas se sonreían entre sí y sus sonrisas eran como una arruga más en sus rostros requemados por el sol y los vientos de la meseta.

No obstante, por San Miguel de los Santos, los cuetos amanecieron envueltos en una pegajosa neblina que fue acentuándose a medida que el día ensanchaba. Y el Pruden, al advertirlo, cruzó el puentecillo de troncos y ascendió penosamente la cárcava y una vez en la meseta de tomillos, llamó al Nini a grandes voces:

—Nini, rapaz — dijo cuando éste apareció en la boca de la cueva, desperezándose —, esa calina no me gusta. ¿No amagará el nublado?

El Loy olisqueaba los talones del hombre y la Fa, alebrada junto al niño, se dejaba acariciar a contrapelo por su sucio pie desnudo. El Nini oteó el horizonte, los cerros ligeramente neblinosos y, finalmente, sus ojos se detuvieron en el azor, aleteando sobre el Pezón de

Torrecillórigo. Al cabo de un rato, descendió por la cárcava al cauce sin decir palabra. El Pruden y los perros le seguían con la misma confiada docilidad que siguen al médico los parientes de un enfermo grave. Una vez en el arroyo, el Pruden desató la lengua y en tono plañidero le dijo al Nini que los trigos secos y raspinegros no aguantarían la piedra. El niño aparentaba no oírle, se ensalivó el dedo corazón y observó atentamente de qué lado se secaba antes. Luego se introdujo entre los carrizos y las espadañas y analizó detenidamente los esbeltos tallos. Las hormigas aladas trepaban incansablemente por ellos y al alcanzar el extremo tornaban a descender. El Pruden le contemplaba ahora silencioso y expectante y cuando el niño salió de entre los carrizos le consultó con la mirada:

—Hay niebla y la brisa es sur — dijo el niño pausadamente —. Las hormigas de alas andan en danza. Si antes de mediodía no cambia el viento de aquí a mañana* tronará. Harías bien en avisar a la gente.

Mas al Pruden nadie le hizo caso. Le dijo el Rosalino:

—Antes de San Auspicio no empiezo.

—El Nini dice . . . — apuntó el Pruden.

—Aunque lo diga María Santísima — atajó en Encargado.

Sin embargo, un cuarto de hora más tarde, cuando el Frutos dio el pregón desde la Plaza pidiendo agosteros para el Pruden, los hombres reprimieron un estremecimiento. Tan sólo el Rosalino, para deslojar la inquietud de su pecho, comentó:

—Aviva, Pruden, que te se quema el arroz.

Pero a media tarde irrumpió sobre el Cerro Merino una nubecilla blanca y tras ella otras nubes más densas y apelmazadas. Los hombres del pueblo no quitaban ojo al cerro y al oscurecer, Justito, el Alcalde, dio orden al Frutos de preparar los cohetes contra el nublado. A esas horas el cielo se había encapotado totalmente y el Pruden, con la Sabina, el Mamertito, el Rabino Chico y el Críspulo — el chico mayor del Antoliano — terminaban de amontonar en morenas el trigo de su parcela. Un viento cálido se desató al ponerse el sol e hizo ondear los campos sin segar* y provocó violentas tolvaneras en los caminos. El cielo se mostraba cada vez más sombrío y el Nini despachó en un momento el frangollo preparado por el Ratero y se acuclilló a la puerta de la cueva. La noche se había echado de repente y la atmósfera era cada vez más pesada e irrespirable. Empero, no llovía aún, ni tronaba, y el primer resplandor del rayo asustó al chiquillo. La Fa levantó de golpe la cabeza y rutó cuando el estrépito del trueno descendió dando tumbos cárcava abajo. Un hedor a azufre se mezcló con el seco aroma del bálago y de la mies madura. El tío Ratero asomó a la boca de la cueva, miró a lo alto, a lo oscuro, y dijo:

—Buena se prepara.*

Al Loy se le erizaron los pelos del espinazo y al elevarse en el cielo el primer cohete, apuntando al gran vientre tenebroso de la nube, ladró airadamente sin saber a qué. El estampido del cohete semejó al agudo grito de un niño en una acalorada discusión de adultos. Tras él, el cielo se abrió en una luz vivísima que hizo destellar la cadena de tesos como si fueran de plata. El trueno siguió a la luz sin transición y fue un trallazo fulminante y quebrado como un latigazo. El Nini dijo:

—Va a ser peor que la de San Zenón, ¿no recuerda?

Un segundo cohete fue lanzado desde la Plaza y a éste siguieron otro y otro, sin interrupción ni método, a la desesperada. Se diría un cazador disparando chinas con un tiragomas contra una manada de elefantes. Un nuevo relámpago inundó la cuenca de una claridad lívida y al estruendo del trueno siguió el gemido del huracán barriendo los cuetos y los campos, levantando densos remolinos de polvo que se empinaban hacia el cielo, girando en espirales inverosímiles. Al ceder el viento empezaron a caer las primeras gotas; eran unas gotas prietas, turgentes, como uvas, que restallaban en la tierra reseca y, al fraccionarse en minúsculas partículas, se evaporaban de nuevo sin dejar huella. Dijo el Ratero tras el Nini:

—Más vale así.*

—¿Qué vale más?

—El agua.

—¿El agua?

—En seco sería peor.

El niño denegó con la cabeza sin cesar de mirar abajo, a las casas del pueblo:

—Será lo mismo — dijo sentenciosamente —. Tal como están los trigos será lo mismo.

Los relámpagos desgarraban el firmamento por todas partes, encadenándose en una suerte de fantástico duelo. Los truenos horrísonos del noroeste se confundían con las exhalaciones del sudeste y con el repiqueteo del pedrisco que rebotaba sobre la piel tirante del teso como palillos batientes sobre el parche de un tambor. Eran granizos del tamaño de huevos de paloma pero, pese a su volumen, el viento los arrastraba para amontonarles allí donde un matojo o una quebrada del cueto les prestaba su abrigo.

—Se han juntado dos nublados — dijo el niño.

—Dos — respondió el Ratero.

—Como en el cincuenta y tres* por San Zenón, ¿no recuerda?

—Lo mismo.

Poco a poco cedía la canícula y se elevaba de los campos castigados el tonificante vaho de la tierra húmeda. La granizada remitía a intervalos y entonces, a la cruda luz de las exhalaciones, el Nini distinguía a los hombres oscuros, como mudos muñecos, moviéndose alocadamente en la Plaza. Ya no era sólo el Frutos, sino el Justito, y el José Luis, y el Virgilio, y el Antoliano, y el Matías, y el Rabino Grande, y todos los hombres del pueblo quienes rivalizaban en lanzar al aire los cohetes en un desesperado intento por ahuyentar la amenaza. Mas los cohetes, cuando ascendían, eran una efímera estela, sin brillo ni potencia, que estallaban sordamente contra un cielo bajo y opresivo. La cuenca, en derredor, asumía una apariencia fantasmagórica a la cárdena luminosidad de los relámpagos y la torre de la iglesia, el pajero, la Cotarra Donalcio, el Pezón de Torrecillórigo, los chopos de la ribera, eran, bajo aquella luz extraña, como apariciones, como cómplices de una turbia pesadilla. A ratos, los ramalazos de granizo formaban una cerrada cortina, tupida e impenetrable. El Nini decía:

—Es aún peor que lo del cincuenta y tres.

El Ratero, inmóvil tras él, en las tinieblas replicaba:

—Peor.

La furia del cielo se desató sobre la cuenca y durante cinco horas se prolongaron las luminarias de las exhalaciones, los sordos retumbos de los truenos, el martilleo contumaz de la piedra sobre los campos. A las cuatro de la madrugada cesó repentinamente de llover y las nubes se concentraron al norte, sobre el Pezón de Torrecillórigo, y una luna alta y húmeda rasgó súbitamente los últimos flecos de la borrasca. La tierra toda que abarcaba la vista parecía cubierta de nieve y los granizos, al deshacerse en el suelo, producían un rumor viscoso, como el de los cangrejos dentro de la sera. De cuando en cuando, tras el Pezón de Torrecillórigo, aún se abría el cielo en una culebrilla incandescente, pero el retumbo del trueno tardaba ahora en llegar y era algo redondo, uniforme, sin aristas.

El Nini bajó al pueblo tan pronto amaneció. La cárcava estaba húmeda y resbaladiza y el niño se desvió por la ladera para sujetar sus pies en los tomillos. Abajo los campos parecían muertos. La huerta y los tres chopos de la ribera erguían tímidamente su patética desnudez y los graznidos de las chovas en los vanos del campanario hacían más ostensibles el gran silencio. Los trigos, arracimados desordenadamente por la violencia cambiante del ciclón se acostaban mansamente sobre el lodo. A trechos, entre las espigas decapitadas, rebrillaban las charcas. Por los caminos y junto a las linderas yacían los cadáveres de los trigueros y las alondras, rígidos sobre los granos de trigo y los cascabillos desparramados. Los barbechos del Poderoso emanaban unas alacres fumarolas, como las que despedían los sembrados en los días soleados del invierno tras una noche de helada. Un pesado hedor a cieno entremezclado con el del bálago se cernía sobre los campos. Dos urracas, envalentonadas con el desastre, jugueteaban sobre el viejo potro, esponjándose al sol.

Al entrar en el pueblo, el Nini sintió el llanto resignado de las mujeres a través de los postigos. Al pie de la trasera del Pruden, medio enterrada en el cieno, había una golondrina. En el alero, asomando sus cabecitas blanquinegras por la abertura del nido, piaban incansablemente las crías. Las callejas estaban desiertas y en los relejes había más barro que en pleno invierno. En la Plaza, la señora Clo barría briosamente los dos escalones de acceso al estanco. En la tapia de adobes, bajo las bardas del corral, un cartelón de letras desiguales decía: "¡Vivan los quintos del 56!" El Loy se detuvo, olisqueando en el zaguán del José Luis y el Nini le silbó tenuemente. La senora Clo le vio entonces, se apoyó en la escoba y le dijo moviendo la cabeza de arriba abajo y mordiéndose el labio inferior:

—Nini, hijo. ¿Qué te parece este castigo?

—Ya ve.*

—¿Es que somos tan malos, Nini, como para merecernos un castigo así?

—Eso será,* señora Clo.

Frente a los establos, salpicado de barro, estaba el automóvil del

Poderoso y en la misma esquina D. Antero y varios desconocidos hablaban dramáticamente con los hombres del pueblo. El Justito, y el José Luis, y Matías Celemín, y el Rabino Chico, y el Antoliano, y el Agapito, y el Rosalino, y el Virgilio se encontraban allí, los ojos patéticamente abiertos, las espaldas vencidas como bajo el peso de un enorme fardo. Y don Antero, el Poderoso, decía:

—El seguro por descontado. Pero no hay que dormirse, Justo. Hoy mismo debe salir un pliego solicitando créditos y moratorias. De otro modo será la ruina, ¿oyes?

El Justito asintió débilmente:

—Por mí no ha de quedar,* don Antero, ya lo sabe.

El Nini pasó de largo, los perros pegados a sus pies, pero antes de alcanzar el majuelo, oyó la voz tartajosa del Antoliano:

—Yo . . . yo no tengo seguro, don Antero.

Y la de Matías Celemín, el Furtivo, extrañamente fúnebre:

—Tampoco yo.

Un rumor de voces arrastradas se unió a la del Furtivo como un coro: "Ni yo", "ni yo", "ni yo".

Ya en el camino del majuelo, el Pruden le salió al paso. Pareció brotar de la tierra como un fantasma:

—Nini — dijo —. Tengo el trigo en morenas y no se ha desgranado — hablaba como disculpándose —: Yo . . .

El niño habló sin detenerse:

—No trilles hasta que seque — dijo —. Pero tampoco lo retrases, no sea que se nazca.

El Pruden le sujetó por un hombro:

—Aguarda — dijo —. Aguarda. ¿Tú crees que puedo yo ponerme a trillar delante de la miseria de los demás?

El Nini se encogió de hombros. Dijo, mirándole serenamente a los ojos:

—Eso es cosa tuya.

El Pruden se frotó las manos sin entusiasmo, tratando de dominar su nerviosidad. Luego hundió la derecha en el bolsillo y le tendió una peseta:

—Toma, Nini, por lo de ayer — dijo —. Más te daría, pero tengo aún que pagar tres jornaleros, hazte cuenta.

Bordeando el majuelo, desnudo por el pedrisco, el Nini se llegó al cauce. Poco más allá, del otro lado de los chopos, se encontró

E

con Luis, el de Torrecillórigo. El muchacho le sonreía con sus dientes blanquísimos sin dejar de azuzar al perro.

—Dale, dale.

—¿Qué haces?

—¡Otra!* ¿No lo ves? Cazar.

—¿Cazar?

—¿Crees tú que por este año se puede hacer otra cosa en el campo?

Le señalaba los trigos rotos, acostados en el barro; los dilatados campos convertidos en un pajonal estéril:

—¿También en Torrecillórigo?

El hombre flanqueaba el arroyo a compás de la marcha del perro, entre los carrizos quebrados. Dijo:

—La nube no dejó tiesa una espiga.

El niño observó al perro moteado:

—Ese perro no se aplica — dijo.

—¿Lo hacen mejor los tuyos?

El niño señaló la cabeza jadeante de la Fa:

—Ésta es vieja y está tuerta, pero el cachorro ya las conoce y el año que viene se aplicará.

El muchacho de Torrecillórigo se echó a reír y se golpeó varias veces la bota con el extremo de la pincha de hierro:

—También el mío es nuevo — dijo.

—El año ya tiene.

—Por San Máximo lo cumple. ¿En qué lo has conocido?

—En los ojos. Y en la boca. ¿Cómo se llama?

—Lucero, ¿te gusta?

El niño denegó con la cabeza.

—¿Por qué no te gusta el nombre?

—Es largo.

—¿Largo? ¿Cómo se llaman los tuyos?

—La perra Fa.

—¿Y el cachorro?

—Loy.

El hombre volvió a reír:

—Para llamar a un perro cualquier nombre es bueno — agregó displicentemente.

De pronto, el muchacho levantó los ojos y su risa se fue contrayendo en la boca hasta convertirse en una mueca de estupor. El Nini oyó los pasos apresurados y alzó los ojos y divisó al tío Ratero, aplastando en largas zancadas las cañas desmayadas del trigal. Llevaba la pincha en alto y gritaba algo inarticulado que no llegaban a ser palabras. Al alcanzar el borde del arroyo no se detuvo. Saltó en el agua, chapoteando como impulsado por una fuerza irracional y se echó sobre el muchacho con el hierro en alto. El Nini apenas tuvo tiempo de incorporarse, asirle de la raída americana y tirar hacia atrás con todas sus fuerzas, mas el muchacho de Torrecillórigo prendía ya la muñeca del Ratero manteniendo su pincho distante, mientras voceaba: "Date a razones, ¡coño!" Pero el Ratero mascullaba palabrotas y murmuraba obcecadamente: "Las ratas son mías, Las ratas son mías." De súbito, la Fa se arrancó sobre el muchacho, mordiéndole sañudamente las pantorrillas, pero el Lucero, a su vez, se lanzó sobre la perra y ambos animales se enzarzaron, mientras el Loy, el cachorro, ladraba desconcertado, sin saber qué partido tomar. El Nini, persuadido de la imposibilidad de separar a los hombres, les seguía en las evoluciones que provocaba la lucha, los ojos desorbitados intentando aplacarles con sus voces, pero el Ratero no le oía. Una fuerza ciega le empujaba y como para darse coraje se repetía una y otra vez: "Las ratas son mías, las ratas son mías". Los perros peleaban aviesamente, se mordían con enconado ensañamiento mostrando sus colmillos blanquísimos, sin cesar de gruñir. En una ocasión rodaron por el barrizal hechos un ovillo y el Ratero tropezó en ellos y cayó entre los trigos, el cuerpo de su adversario montado sobre él. El muchacho de Torrecillórigo trató de reducirle hincándole las rodillas en los bíceps y en su tenso esfuerzo murmuraba: "Da-te-a-ra-zo-nes-co-ño", pero el Ratero le ganó la acción, se arqueó sobre el estómago y le lanzó hacia atrás golpeándole luego con las botas en el vientre. Los dos hombres se incorporaron, observándose de soslayo, jadeando, las pinchas levantadas, mientras los perros seguían ferozmente enlazados. Fue el Ratero quien de nuevo tomó la iniciativa, pero el muchacho atajó su golpe con el hierro y durante unos momentos cruzaron sus pinchos y las chispas saltaron al aire. El Ratero, la espalda rebozada de barro, observaba ahora a su adversario, con los párpados entornados como una alimaña y amagó con el pincho dos veces y le lanzó luego una patada brutal que le alcanzó en el pecho y le derrumbó sobre las mieses acostadas. El Ratero corrió hacia él, pero el muchacho, en un esguince felino, esquivó el cuerpo y el Ratero cayó de bruces sobre el fango. Al ponerse en pie su jadeo era áspero, acongojado, como un rugido. De vez en cuando repetía como un autómata: "Las ratas son mías, las ratas son mías". Una gruesa costra de barro le cubría el rostro y sus ojos adquirían entre los párpados ennegrecidos de tierra, una viveza singular. El muchacho de Torrecillórigo, doblado por la cintura, aguardaba serenamente una nueva ofensiva y su mirada penduleaba entre los ojos del Ratero y la pincha que sujetaba entre sus dedos crispados. Otra vez, el Ratero se arrojó sobre él, la cabeza gacha, el pincho hacia la garganta, mas el muchacho desvió a tiempo la trayectoria del hierro, que no le produjo más que un rasguño en la mejilla que súbitamente se llenó de sangre. También la Fa sangraba por las orejas y el lomo, pero el animal no cejaba en su empuje. Los cuerpos de los perros desaparecían a veces entre la espesura de las pajas acostadas, para reaparecer siete metros más allá peleando con el mismo encarnizamiento. El Loy, pasado el desconcierto inicial, se pegó a las piernas del niño, erizados los pelos del espinazo, estremecidos sus miembros por un extraño temblor. Los hombres se habían enzarzado de nuevo, los pinchos en alto, murmurando maldiciones ininteligibles. El muchacho de Torrecillórigo tenía las mejillas cubiertas de sangre y por los agrietados labios entreabiertos se le veía la boca reseca, aspirando el aire a boqueadas, como un pez moribundo. En un esfuerzo trató de herir a su contrincante, pero apenas si el filo del pincho pudo rasgar la chaqueta de pana del Ratero quien, al sentir en la piel el cosquilleo del metal y aprovechando el pasajero desmayo del otro, descargó un golpe contundente de abajo arriba y el hierro se hundió en el costado de su adversario hasta la empuñadura. Todo fue instantáneo como un relámpago. Las manos del muchacho se distendieron y el pincho, al caer, quedó oculto en el barro. El Ratero se separó de él resollando y, entonces, el muchacho de Torrecillórigo avanzó hacia el Nini torpemente, dando traspiés, los ojos desorbitados y, al pretender hablar, un borbotón de sangre le cortó la palabra. Permaneció unos segundos inmóvil, tambaleándose, y, al cabo, cayó del lado derecho y cerró los ojos como si descansara. Aún se estremecieron sus piernas convulsivamente dos o tres veces. Luego le sobrevino un nuevo vómito, y como si quisiera impedirle, volvió el rostro lentamente y ocultó sus facciones en el fango.

El Nini levantó sus ojos espantados hacia el Ratero, pero éste, resollando aún, se aproximó al cadáver y rescató su pincho de hierro. Después se encaminó a donde los perros se revolcaban, sujetó al Lucero por la piel del cuello y de un tirón lo separó de la Fa. El animal intentó en vano morderle la muñeca, revolviéndose furioso, pero el Ratero le acuchilló tres veces el corazón sin piedad y, finalmente, lanzó su cadáver sobre el del muchacho.

La Fa gañía doloridamente y se lamía sin cesar las mataduras del lomo cuando el Ratero se acercó al cauce y lavó la sangre del pincho meticulosamente. El Nini se sentó en el ribazo y se acodó en los muslos. La Fa se llegó a él y se alebró a sus pies temblando, en tanto el Loy miraba rutando los dos cadáveres cuyas heridas se iban llenando paulatinamente de moscas. Al regresar el tío Ratero junto al Nini, media docena de buitres negros aparecieron de improviso volando muy altos sobre el Pezón de Torrecillórigo. El niño miró al Ratero que jadeaba aún y el Ratero dijo a modo de explicación:

—Las ratas son mías.

El Nini señaló con el dedo al muchacho de Torrecillórigo y dijo:

—Está muerto. Habrá que dejar la cueva.

El Ratero sonrió socarronamente:

—La cueva es mía — dijo.

El niño se levantó y se sacudió las posaderas. Los perros caminaban cansinamente tras él y al doblar la esquina del majuelo volaron ruidosamente dos codornices. El Nini se detuvo:

—No lo entenderán — dijo.

—¿Quién? — dijo el Ratero.

—Ellos — murmuró el niño.

Tras el alcor se veía flotar el campanario de la iglesia y en torno a él fueron surgiendo, poco a poco, las pardas casas del pueblo, difuminadas entre la calina.

NOTES

The figures refer to pages

25. **el tiempo se pone de helada:** 'the weather is beginning to get frosty'.
26. **volara:** 'had blown up'. The literary pluperfect has the same form as the perfect subjunctive in *–ara*.

    aspiraba a que: in Spanish prepositions can precede noun clauses beginning with *que*. In English they must usually precede a noun or pronoun.

    y tú que nones: 'and you say no.'

    ¿Es que. . .?: emphatic introduction. 'Is it that you just *don't want* to understand me?'

    ya ves: all dialogues contain some of these affective expressions, which add more to the tone of the conversation than to its meaning.

    le decían: colloquial transitive use of *decir*, meaning 'to call'.

    arman un trepe: 'they kick up a row'.

    Total que siempre hay función: 'With the result that there's always some row going on.'

    dale con que te vayas . . . se matarían por ella: 'comes along and says you're to go and live in that house, when lots of people would commit murder to have it'.
27. **Estanco:** licensed shop which sells tobacco, postage stamps and revenue stamps of various kinds.

    la oprimía: *la* is dative, an example of *laísmo*.

    por lo juicioso y previsor (*que era*): 'because (he was) so wise and foresighted'.

    tenía dada vuelta: emphasizes state or condition. 'He had the earth turned over.' Distinguish from: *había dado vuelta:* 'he had turned over the earth,' which underlines the action.

    amagará: future of probability.

    ¿Cómo me las arreglaré para ahuyentarlos?: 'What can I do to frighten them off?'

    Déjalo de mi mano: 'Leave it to me.'

135

28. **de no ser por:** 'if it weren't for'.

    blanqueaba: notice how the author incorporates several ideas into one word. Here an adjectival concept is combined with a verb concept.

29. **Vaya un pico:** 'What a beak'.

    ¡La madre que los echó!: a coarse expression of contempt. The implied curse is on the mother of the hated creatures, just as an equally coarse compliment is: ¡*Viva tu madre!* Spaniards' attitudes to motherhood are involved here; contrast with the relatively indifferent English attitudes.

    Tú calla la boca: 'Shut up, you.'

30. **Digo que el Nini ése todo lo sabe:** 'Well, that Nini knows everything.'

    allá por el año 33: 'back about the year 1933'.

31. **capital:** capital city of the province.

    andaba de párroco en el pueblo: 'was parish priest in the village'. *Andar de* or *estar de* indicates a temporary office held in a place.

    cuando estalló la guerra: the Spanish Civil War broke out in 1936.

    Cuando quieras: 'Whenever you like', 'Whenever you're ready'.

32. **en el otro lado:** 'on the other side', i.e., in republican territory during the Civil War.

    ¿Qué te parece?: 'What do you think of that?'

    sean: 'be they'. The *hermanos* refer to Spanish republicans (who were supported by the communists) and nationals (who purported to fight for catholicism).

    Fuera como fuese: 'Be that as it may'.

    pintar de verde: 'paint green'. Observe the differences and different uses of prepositions in Spanish and English. See note to page 31.

33. **¿Y qué? — Da tiempo al tiempo:** 'And what's the result?'— 'Wait a while.'

    los quintos del 56: *quintos* are those who are called to do their national service in a certain *quinta*, known by the year of conscription,—in this case 1956.

    tan de mañana: 'so early in the morning'.

    Mira que . . .: 'Remember . . .'; 'you know . . .'

    como viera: 'as he saw'.

    Servicio: *Servicio Nacional del Trigo*, a State Organization.

34. **arrimando el hombro a lo que saliera:** 'turning his hand to

whatever came along'. The English suffix '–ever' usually corresponds to a Spanish subjunctive.

Ya estaba viejo: *estar* referring to physical condition.

35. **Un día te da un disgusto:** notice colloquial use of present tense for imperative mood and future time, usually implying some emphasis. This use is frequent throughout the book. Compare: *Esas cuevas se caen,* above.

36. **Ya estás tú con tus teorías:** 'There you go with your theories.'
así te crece a ti el pelo: 'that's the way you go'.
Sin ir más lejos: 'To take just one example'.
Cúchares (1818–1868) **y El Tato** (1831–1895): famous bull-fighters.

38. **Cada cepa tiene su poda:** 'Each vine-stock has its proper way of being pruned.'
..., dos yemas y un sacavinos, ¿oyes?: this lesson which Abundio gives his grandson is full of technical terms which no layman would understand. For Miguel Delibes every individual and every way of life is worthy of the utmost respect, and this is one way of insisting on it. It also adds authenticity to the country scene. (See Introduction.)
allá para mayo ... el 21: 'round about May ... on the 21st.'

39. **No andará lejos:** future of probability: 'she won't, or can't, be far away'.
¿Pero así andas?: 'Is that the way you are?' 'Are you as innocent as that?'
se fue incorporando ... fue describiendo: 'began to ...', 'slowly'.
como una flor: what do you consider to be the effect of this comparison?
como un perro de grande: 'as big as a dog'.

40. **si sopla norte:** 'if the wind blows from the north'.

41. **hizo mierda:** every society and stratum of society has certain taboos, subjects that must not be discussed or words not to be used, and there are also different degrees of taboo. These do not correspond from one society to another. Here, for instance, is a word which has a wider margin of tolerance in the society described in this book than its literal translation would have in this country. There are other examples in the book.
Aquí la hay: colloquial for: *Aquí hay una* (*de ellas*).

42. **¡Hala con ella!:** 'Go get her!'

43. **exterminar a las ratas:** personal *a,* which you will notice the author uses frequently for animals.

había de valerse por sí mismo: 'had to get by on his own'.

e izaba triunfante: Spanish often uses an adjective qualifying the subject where English would use an adverb modifying the verb. But contrast: *No tengo dinero*, I have no money.

nos lo van a agradecer: said sarcastically, of course.

44. **¿Qué demonios haríamos para llover?:** 'What the devil can we do to make it rain?'

¿Duele eso?—dijo el niño: this little scene is remarkable in that by using unqualified nouns and verbs the author describes the poverty of the meal and simplicity of the manners, combined with the contentment, peace and mutual concern of the protagonists.

¿Pues no salen ahora con que hay que pagar por esto? 'And now they are saying that we'll have to pay for this.' *Salir con* means 'to come out with something'. And see note to p. 26. The reference is to new taxes on cigarette-lighters.

45. **Antes lo tiro al río:** 'I'd sooner throw it in the river than pay that tax'.

¿Viste a ése?: 'Did you see that fellow?' Demonstrative pronoun used pejoratively to refer to the rat-catcher from Torrecillórigo.

Que pinte bien: 'Good luck.'

46. **Date cuenta, Nini, si llueve como si no:** 'Just imagine, Nini, it will be all the same whether it rains or not.' All of this scene refers indirectly to the poverty of the farmers in Old Castile, and their dependence on the elements. It refers also to the failure of the Government and the big landowners to provide capital for development.

todo el día de Dios: 'all the blessed day'.

a estas horas: 'at this moment'.

Se abrió otra pausa: synonym, or near-synonym, of the verb 'to be'. Compare: *Se hizo una larga pausa*, above.

47. **nada se podía hacer:** the author wants the reader to take country science as much for granted as the villagers do. Here is an example of his indirect way of achieving this effect, without actually saying that the pig must not be killed in mild or wet weather.

la tercera rica: 'the third richest'.

por lo que hacía a su pueblo, la tierra andaba muy repartida: 'as regards his village, the land was very well distributed'. *Andar* is one of the many near-synonyms of *estar*. Spanish tolerates repetition less than English, often replacing *ser* or *estar* by *verse*, *encontrarse*, *resultar*, *quedar*, etc. See note to page 46.

Bien mirado: 'Come to think of it'.

El caso es que: 'The thing is that . . .'

en la alta noche: 'in the middle of the night' or 'early hours of the morning'.

Pero aún pudo: notice difference of meaning between preterite and imperfect of verbs such as *poder, saber* and *conocer. Pudo,* 'managed to'.

48. **lloviera o no lloviera:** 'whether it rained or not'.

buenas palabras: 'sweet words and promises'.

la señora Clo: *Doña, don,* are titles used before Christian names. *Señora, señor,* usually precede the family name, but popular or uneducated usage can place them before a Christian name also.

contactos populares: 'contact with the lower classes'.

había colgado el sombrero: 'had settled down and made himself at home'.

49. **a las pocas horas:** 'within a few hours'. Notice the imperfect of the verb meaning 'died'.

donde su hermana: the verb may be omitted after *donde* and *cuando.*

estás de boda: 'you'll be going to a wedding'.

tan poca cosa: 'so insignificant'.

52. **sin venir a qué:** 'a propos of nothing'.

¿A santo de qué?: 'For what reason?' 'Why should I?'

creo yo: 'at least that's my opinion'.

53. **a tontas y a locas:** 'without rhyme or reason'.

no se cogería los dedos: 'would not get his fingers burnt' (or 'caught').

apaleadores: these beat the trees to remove the fruit or, as in this case, the pine-nuts.

contar por pesetas: 'count in pesetas'.

la vida está diez veces: 'the cost of living is ten times higher'.

limpios de polvo y paja: 'free of all charges', 'net'.

y no digamos nada: 'to say nothing of . . .', implying that the price will be much higher.

54. **como si tal cosa:** 'just like that!'

Voy a alimañas: 'I'm after vermin.'

Ya, ya: 'We know!' Delibes, himself a great shooting enthusiast, feels strongly about the laxity of game-keepers, or even their dishonesty. He refers to it also in *Diario de un cazador.*

llevo una semana tras el raposo: 'I've been after that fox for the last week.' This is a normal use of *llevar.*

55. **para sus adentros:** 'to himself'.

No sabrás tú por casualidad: 'You wouldn't by any chance know how to . . .?'

56. **Si el Justito no se rasca el bolso en forma:** 'If he doesn't cough up enough'.

57. **corrió la noticia por el pueblo:** 'the news spread around the village'.

Querrás decir: 'What you mean is . . .'

de momento: 'for the moment'.

58. **¿a que no sabes . . . :** 'Bet you don't know . . .'

59. **al avivarle:** you will have noticed that the author usually uses *le* for the masculine, singular direct object pronoun, and *la* for the feminine, singular indirect object pronoun.

Por eso sabe: 'As a result, she knows her job'.

60. **¿Dónde vas con la que cae?—Vengo:** 'Where are you going in such wet weather?'—'I'm not going, I'm coming.'

La cueva es mía: This simple cry of the individual, whose natural sense of property is thwarted by the representatives of civilized society, will be repeated with reference to the rats and even to el Nini. It is a summary of the rat-catcher's philosophy of life.

el Gobernador Civil: the Civil Governor of a province, who has direct powers from the Government in civil matters, is normally the same person as the provincial head or chief of the *Movimiento*, or Government party. In the same way, the mayor is normally the local head.

Déjalo de mi mano: see note to p. 27.

61. **¿Y qué puede hacerlo yo?:** 'And what can I do about it?'

62. **mecánicamente a contrapelo:** as a general rule Spanish, unlike English, tends to place adverbs and adverbial phrases as close to the modified verbs as possible.

¿Que no te vas?: 'So you won't go?' Introductory use of *que*, usually implying a verb of saying.

63. **ya ves qué cosas:** 'so you see!'

Por las buenas o por las malas: 'Whether you like it or not.'

¡Ni con cinco dedos!: 'You couldn't make me go even if you had five fingers!'

Por si algo faltara: 'Just to make sure that nothing was left undone'.

como me llamo Justo: 'as sure as my name is Justo'.

Por escrito: 'In writing'.

64. **es un delito:** consider the irony of this episode, in which a child and an idiot enmesh the representatives of the law in their own red tape.

tendrás cuevas en la provincia: the mayor speaks to his

superior using the familiar *tú* because they are members of the *Movimiento*, in which this form is customary.

el día de mañana: 'tomorrow or the day after'.

el haber resuelto: the article is used before the infinitive when it is used as a verbal noun.

por éstas: 'I swear it'. This expression is accompanied by a gesture which consists of kissing a cross formed by the thumb and index finger of the right hand.

65. **si te pones a ver:** 'if you think about it'.

   haz lo que sea: 'do *something*'.

66. **regalara:** literary pluperfect.

   una misma cosa: 'one and the same'.

   viento de cuando rapaz: 'the wind when he was a boy'.

67. **Cuanto más viejo más goloso:** 'the older he gets the more sweet-toothed he becomes'.

   Suerte la tuya, con lo mal que me come a mí el Virgilín: 'You're lucky; look how poorly Virgilín eats for me'. *Me . . . a mí* is an ethic dative, sometimes called a dative of the person concerned.

   Ha de haber: 'There should be'.

68. **Mejor. Así hasta al más desgraciado . . . le llore:** 'All the better. That way, even the most unfortunate person has at least a dog to cry after him.'

   Alfonso XII: king of Spain 1874–1885.

   llegada la hora: 'when it was time'; the absolute construction. Contrast the force of Spanish gerunds and past participles with the relative weakness of the English.

69. **la emoción del descubrimiento:** 'a feeling of discovery'.

   ¡anda con él!: 'at him!'

70. **carne y hueso:** 'flesh and blood'.

   Eras tú quien: notice the person of the verb.

   abultaba como dos liebres: 'was bulging as if it contained two hares'.

   Apuesto a que sí lo sabes: 'I bet you do know'. This is an example of the emphatic *sí*.

   a morir; ya se sabe: 'he'll die; that's a well known fact'.

72. **Dios nos tenga de su mano:** 'May God protect us'.

   apenas a las 24 horas de estallar: 'scarcely twenty-four hours after it broke out'.

73. **pese a su nombre:** 'in spite of his name'. The name Guadalupe derives from the Virgin of Guadalupe, in Extremadura.

perecieron también calcinados: 'they were also scorched to death'.

esa palidez . . . a quien ha estudiado mucho: 'that paleness with which the pages of books infect anyone who has studied a lot'.

entrara: subjunctive because of the indefinite antecedent, *mono*.

como un igual: this indirect criticism of class distinction must be read in the context of the Spanish social situation.

74. **¿qué fue del abuelo?:** 'what became of your grandfather?'

Ni lo sé: 'I don't even know.'

Habrán sido: see note to page 70.

el undécimo no alborotar: 'the eleventh Commandment is: Thou shalt not make noise.'

75. **Está bueno eso!:** 'Well, that's a good one.'

¿Eso dices tú? 'Is that what you have to say?'

Y si ellos no saben de la misa la media: 'But they don't know a B from a battledore, so how . . .?' This is an example of the introductory use of *si*.

ya lo creo que las tiene: 'certainly he has'.

76. **Como si no:** 'with no result'.

Al ponerse el sol . . . una aparición fantasmagórica: you will have observed that the author likes to paint (in words) this type of landscape with just one figure present. Compare this example with the picture of the Furtivo in Chapter 8.

binaba: 'said mass twice a day'. A priest is allowed to say two or three masses daily only in cases of necessity.

77. **cruzaba:** an alternative, slightly colloquial, form of the conditional mood.

¡Alma de Dios!: 'Good God!'

78. **dice que es macho:** Here the author attributes to the ignorance of the Rabino Grande a belief in sex distinction among motorcars.

Jesús: no blasphemy or coarseness is involved in this or similar exclamations. See note to page 41.

tú quieres que a doña Resu la pille el toro: 'you want me to lose every time'; 'to catch me out'.

Eso quieres tú ¿verdad?: judge for yourself whether el Nini is, in fact, being deliberately rude in the whole of this scene. Whether he is or not, however, there can be no doubt that he is sincere in all he says.

79. **Quien dice don Domingo dice otro cualquiera:** 'When I say don Domingo I mean any engineer you like.'

a poco que pusieras de tu parte: 'if only you made a little effort'.

Buenos nos los dé Dios: 'May God give us good days', an old-fashioned reply to *Buenos días*.

80. **volvió sobre sus pasos:** 'went back the way she had come'.

Eso le pasa: 'That's what's wrong with her.'

al concluir: one of the rare cases where the author chooses reticence rather than the realism of a more exact expression.

De muy joven: 'As a very young pup'.

81. **métetelo en la cabeza:** 'get it into your head'.

nadie le dio vela en este entierro: 'nobody asked him to poke his nose in here.' The usual expression is: *¿Quién te dio vela en este entierro?* referring to a person who breaks into a conversation uninvited, or who meddles in other people's business.

Conejos no hay: note the word order, for emphasis, in both parts of this sentence.

82. **Qué sé yo:** 'I wish I knew.'

le miraba hacer: 'watched what he was doing'.

83. **Está bueno eso. Con sacar ... ya me conformo:** 'That's a good one. If I catch enough for a snack I'm satisfied.'

a morir por Dios: 'we'll just die off'.

romerías: a *romería* is a pilgrimage to a shrine or church on a saint's feast-day, followed by singing, dancing, eating and drinking.

"Vino con holgura, tajado con mesura": this pessimistic saying might be translated: 'The year the wine is plentiful, the food is bound to be scarce'.

84. **No sabe:** 'He doesn't know how to catch rats.'

En toda la tarde agarró una rata: 'In the whole afternoon he didn't catch one rat.'

la perdió: 'caused her misfortune'.

San Juan de ante Portam Latinam: 'the feast of St. John before the Latin Gate', May 6th.

85. **Y los otros?:** 'and what about the others?'

86. **la primavera oficial:** official spring is 21 March to 21 June.

87. **cuatro latines:** 'a few latin words'. Don Ciro would join his hands as a mark of respect for any quotation from the Bible which he would make—in Latin—during the sermon.

88. **"Reza tres Avemarías ... no lo vuelvas a hacer":** this, of course, is an allusion to the penance given by the priest to the penitent in the sacrament of Confession.

aquella su voz atronadora: 'that thunderous voice of his'.

las Misiones: a mission is an annual week (or fortnight) of intensive religious activity, including a daily sermon.

89. **misterio:** each of the 15 mysteries of the Rosary.

   Sin pensarlo más: 'Without hesitation'.

   Que su boca sea un ángel: a common expression meaning: 'May what he says come true'.

91. **Era como un alarido . . . apercibiesen:** this passage is clearly an attempt to convey in words the noise of the crickets and its effect on the people. Notice how the effect is achieved.

   Separar la gallina: 'separate the chicks from the mother hen'.

   darle de merendar una pastilla . . . : 'giving him a cake . . . to eat'.

92. **un mal baile:** 'at least a third-rate dance'.

   sólo de ver el mundo vacío . . . : 'to see such an empty world is enough to . . .'

   Que: sometimes used popularly to mean 'where', 'when', etc. 'And where could we go where we'd be better off than here?'

   ¡Donde sea!: 'Anywhere!'

   Ese es otro cantar: 'That's another story.'

   Ese fue a mesa puesta: 'He had it all laid on for him before he moved.'

   Eso, di que sí: 'Of course, that's what you say.'

93. **Lo que es yo iba a andarme con contemplaciones:** 'The way things are, I promise you I wouldn't be so hesitant about it.'

   Verás con que garbo se arrancaba el Ratero: 'You'll see how smartly the rat-catcher would move then!' The change from future tense to conditional mood (*se arrancaba*) is colloquial.

   ¡Déjales que digan misa!: 'Let them say what they like.' The following sentence refers to the relative laxity of foreign tourists' sense of public decency.

   Por si esto fuera poco: 'As if this were not enough'.

   ¿Puede saberse?: 'Would you mind telling me?'

   no la fastidiemos: 'stop talking nonsense'.

   Así como suena: 'It's as simple as that.'

94. **directo, encarnizado enemigo:** notice position of all adjectives. Placed before a noun they usually either take on emphasis or a non-literal meaning, or else indicate an inherent quality of the thing denoted by the noun. The sound or rhythm of a sentence may also demand this position.

   fuera con ella: 'had anything to do with her'.

   el Nini tenía cara de frío incluso de Virgen a Virgen: 'Nini looked cold even from one feast of the Blessed Virgin (July 16) to another (August 15).'

95. **lo vació en el pozo de Justito:** This act of primitive revenge on

el Nini's part is a foreshadow of the rat-catcher's much more serious action at the end of the book.

De esto nada, ¿oyes?: 'Not a word about this, do you hear?'

mientras no venga el Jefe, ni una palabra: 'until the chief comes, not a word'.

96. **Vamos, Justo, no te hagas de rogar:** 'Come on Justo, stop holding out on us'.

Está bien: 'All right.'

El Mudo ha hablado: this episode may be compared with Daniel's even more innocent placing a dead bird in his friend's coffin, and its consequences. (*El camino*, Ch. XIX.)

97. **Seguir:** popular form of *seguid* (2nd person plural imperative).

De veras que lo siento: 'I am truly sorry about this.'

98. **tras la merienda:** after the meal given to celebrate the feast, at which presumably many rats were eaten.

se abre el cangrejo: 'the crawfish season opens'.

99. **¿Para qué quieres las manos?:** 'What have you got a pair of hands for?'

Deja que le ponga la vista encima: 'Just let me set eyes on him.'

Al hijo de mi madre le podían venir con ésas: 'I wouldn't let anyone play tricks like that on me.'

100. **la fiesta de despedida de la caza:** party given on the last night of the hunting season.

no te queda una para contarlo: 'there won't be one left for you to talk about the business'.

101. **Vaya un nombre más raro:** 'What a strange name.' In the works of Miguel Delibes Christian names are often associated with civilized society, whereas nicknames are given to each individual as being proper to him alone. The antithesis is significant. Luis, of course, is a very common name.

102. **fuese:** 'be it'.

el "don": the title of "*don*" (from the Latin *dominus*), to which, strictly speaking, only university graduates or matriculated students and certain others have a right, although nowadays it is used before all male Christian names. (In South America the practice is different.) See note to page 48.

que gloria haya: 'may he rest in peace', referring to don Alcio.

¡Qué cosas!: 'What things you say!'

103. **ningún hombre por inteligente que sea puede nada:** 'no man, however intelligent he may be, can do anything . . .'

te matarían porque no les obligasen: 'they'd kill you so that they wouldn't be compelled'.

Al Ratero le falta de aquí: 'The rat-catcher has nothing up top.'

y en paz: 'and that's the end of it'.

104. **no pasó a mayores:** 'did not become more serious'.

105. **No le busquéis . . . ha resucitado:** quotation from the Gospel of Easter Sunday: St Mark v.

106. **redimiste al mundo:** the liturgy in English has this prayer: "We adore thee, O Christ, and we bless thee. Because by thy holy Cross thou hast redeemed the world."

Eran tres: 'There were three of them.'

108. *Reserbas para con parme la dentadura:* misspelling for: *Reservas para comprarme la dentadura.*

Toma esto que te tienes. La dentadura . . . al viejo: 'Take this; it is yours now. The false teeth can't be of any use to the old man.'

más aún que los billetes sorprendió el hecho de que . . .: 'what surprised them even more than the banknotes was the fact that . . .'

Luego que . . . digo yo: 'Then they talk of knowing and not knowing. Who wouldn't know things if he had a book within reach all the time, that's what I say?'

109. **¿No ves la polvareda que estoy armando?:** 'Don't you see the show I'm making of myself?'

ya ves que cosas: notice here the contrapuntal suggestion; the relation between the dogs is somewhat parallel to that between Simeona and her father. The final scene in the book is a clearer example of literary counterpoint.

si no le importa: 'if you don't mind'.

Quiero ofrecerme: 'I want to give myself to God.'

111. **aguijoneándoles hasta hacerles desesperar:** this does not imply any malice on Nini's part, but only good humour. It must be remembered that the typically British attitude of kindness to birds and animals is not shared by many nations, apart from those who believe in the transmigration of souls.

112. **pondría el tiempo a tu capricho sólo por no oírte:** 'I'd put the weather at your command just so as not to have to listen to you.'

¿Dónde se ha visto que hiele por San Medardo?: 'When was it ever known to freeze on St. Medard's day?' (June 8th).

Va para veinte años de . . .: 'It is close on twenty years since . . .'

113. **Un caso así no volveremos a verlo:** 'We'll never see a case like that again.'

   Buena está cayendo: 'It's coming down good and proper.'

   ¿A qué viene este castigo?: 'What's this punishment for?'

   Me cago en mi madre: see notes to pages 29 and 41.

   Afana: the unexpressed subject is *Uno.*

114. **coños:** see note to page 41.

   ¿Y si cantara el Virgilio?: 'What about Virgilio singing?'

115. **para que lo sepas:** 'let me tell you'.

117. **las cigüeñas a volar:** 'the storks begin to fly'.

118. **renta veinte duros:** wages and rent are paid monthly.

119. **conciliar el sueño:** 'to get to sleep'.

   me podía venir con esas: see note to page 99.

   Antes de que él echara los dientes: 'Before he cut his teeth.'

   lavarse: refers to the cleansing of the soul in preparation for death.

121. **El carro lo vendes . . . Del borrico dispón:** 'Sell the cart and give the money to have Masses offered for me. Keep the ass for yourself.' See note to page 35.

122. **Nada de Sime:** 'No Simes about it.'

   Eso sí que no: 'Never.'

   Por nada: 'No why.'

123. **Yo ya no estoy para fiestas:** 'I'm no longer in any fit condition for playing games.'

   ¡Estás tú bueno!: 'You're joking!'

   a ver si aprendes de una vez por todas: 'be sure you learn it once for all'.

124. **Preciosa Sangre de Nuestro Señor:** 'the feast of the Most Precious Blood', July 1st.

125. **de aquí a mañana:** 'between now and tomorrow morning'.

   los campos sin segar: 'the un-mowed fields'.

126. **Buena se prepara:** 'It's building up good and proper.'

   Más vale así: 'It's best that way.'

127. **el cincuenta y tres:** 'the year 1953'.

128. **Ya ve:** 'There you are.'

   Eso será: future of probability: 'That must be it.'

129. **Por mí no ha de quedar:** 'Nothing will be left undone on my part.'

130. **¡Otra!:** 'What a question!'

VOCABULARY

Most words closely resembling the English in meaning and appearance are omitted, as are elementary words and adverbs ending in -mente. The gender of nouns is indicated when this is not obvious from the ending or is an exception to the rules governing gender.

abanicar, to fan

abarcar, to embrace, take in

abasto, supply; **no dar —,** to be unable to (*supply*)

abatir, to bring down, knock down; to deject

abejaruco, bee-eater

abertura, opening

abijarrado, motley, variegated

ablandar, to soften

abocado, near

abogado, lawyer

abonar, to manure

abono, manure

aborrecer, to abhor, hate

abortado, abortive

abotonar, to button

abrasar, to scorch, burn

abrazar, to embrace

abrevar, to water (*animals*)

abrigada, sheltered place

abrigar, to shelter

abrojo, caltrop, thorny plant

abubilla, hoopoe

abuelo, grandfather; (*pl.*), grandparents, grandfathers

abultar, to bulge, swell

abundar, to be abundant

aburrido, bored, boring

acá, here; **de — para allá,** from place to place

acabar (de), to finish; to have just . . .; **— con,** to put an end to

acalorado, heated, passionate

acariciar, to stroke, caress

acarrear, to carry, cart, bring

acaso, by any chance; **si —,** perhaps, if by chance; **por si —,** just in case

accidentado, up and down, in and out

accionar, to gesticulate

acechante, al acecho, in wait

acechar, to watch for, spy on;

acedera, sorrel

acelga, salt-wort, leaf-beet

acerado, steel-like

acercarse a, to go up to, approach

acertar, to succeed, be right, manage

acertijo, riddle

acetre (*m.*), bucket

aclarar, to explain, clarify

acobardado, dejected

acodarse, to lean, put one's elbows

acompasado, in time

acompasar, to keep in time

acongojado, anguished, distressed

acontecer, to happen

acorazarse, to steel oneself

acorchar, to shrivel; to make stale

acordarse, to remember

acorde (*m.*), chord, harmony

acoso, getting in the way, pursuit

acostado, lying down

acostar, to lay; —**se,** to go to bed, go to sleep

acostumbrado, accustomed; usual

acotado, bounded

acre, bitter

acrecer, to increase

acribillado, riddled with holes

actitud, attitude

acto seguido, immediately afterwards

actuación, performance

acuclillado, crouching

acuchillar, to knife, stab with a knife

acudir, to go; to come

acuerdo, resolution, agreement; **de** —, all right

acular, to back away, retreat; to back up

acurrucarse, to curl up, nestle

achicharrar, to sizzle; to crush

adecentar, to make decent

adelantar, to put forward; to gain; —**se,** to go on ahead

adelante: en —, from then on

ademán (*m.*), gesture, wave

además, besides

adensarse, to condense, become dense

adentrarse, to come in, creep in

adiestrar, to train

aditamente (*m.*), addition

adivinar, to guess

adobe (*m.*), mud brick

adormilado, sleepy

adquirir, to acquire, get, buy

aducir, to adduce; to object

adusto, austere, dry

advenimiento, coming

advertencia, admonition, warning

advertir, to inform, advise, admonish, warn; to notice

afán (*m.*), eagerness

afanar, to work; —**se,** to work hard

afectado, affected

afeitar, to shave

afilado, sharp

afilar, to sharpen

afinar, to tune; to refine

afirmado, fastened, clenched

afónico, aphonic, having lost one's voice

afortunado, fortunate

agacharse, to squat, crouch

agallas (*f.pl.*), guts, courage

agarrar(se), to catch; to bite

agasajar, to feast

agazapado, squatting

agazapar, to squat

agitar, to move, wave, wag

agónico, deathly

agonizar, to die, fade

agostero, harvester

agradar, to please

agradecer, to thank (*for*)

agradecido, thankful

agrandarse, to get bigger

agregar, to add, go on, say

agrietado, cracked, cut

aguado, watered

aguanieve (f.), sleet, rainy snow

aguantar, to endure, suffer, stand up to

aguardar, to wait (for)

aguardiente (m.), cheap brandy

aguarradilla, little shower

agudo, sharp

aguijonear, to prod

águila, eagle — real, golden eagle; — perdicera, Bonelli's eagle

aguilucho, young eagle

agujereado, with holes

agujero, hole

ahí, there; de — que, hence; por —, around, somewhere

ahogado, suffocating

ahogar, to choke, suffocate

ahondar, to deepen

ahorcar, to hang

ahorrar, to save

ahorro, saving

ahuecar, to puff out

ahuyentar, to scare away, drive off

airado, wrathful, furious

airoso, graceful, jaunty

aislado, isolated

ajado, well-worn

ala (f.), wing

alabar, to praise

alacre, cheerful

alado, winged

alambre (m.), wire

alar, partridge-snare (made of hair)

alargar, to give, hand over

alarido, cry, outcry

albar, white, silver

alborotado, loud, tumultuous, disorderly

alborotar, to disturb, make noise; —se, to get excited, run wild

alborozado, jubilant

alcachofa, artichoke

alcalde (m.), mayor

alcanzar, to come up to, reach; to keep up

alcaraván (m.), stone-curlew

alcoba, bedroom

alcor, hill

alcotán palomero, merlin

aldabonazo, knock, bang on a knocker

alebrado, squatting

alebrar(se), to squat

aleccionar, to give a lesson

alegrarse, to be glad

alejar, to remove

alelarse, to become stupid-looking

alentar, to breathe

aleonado, tawny

alero, eaves

aletargarse, to become lethargic

aletear, to flap wings

aletilla, wing or corner of the nose

alevoso, treacherous, traitorous

alfombra, carpet

alforja, knapsack

algarabía, gabble, clamour

algodón (m.), cotton

alguacil, bailiff

aliaga, gorse

alicortado, with clipped wings

aliento, breath

aligerar, to lighten; to shorten; to relieve; to evacuate

alimaña, animal that preys on game

alimentar, to feed, nourish

alinear, to line up

alita, little wing

aliviado, relieved

alma (*f.*), soul; **partir el —,** to break one's neck

almacén (*m.*), store, storehouse

almendra, almond

almendro, almond tree

almorzar, to have lunch

alocado, wild

aloe (*m.*), aloes

alojarse, to lodge

alondra, lark

alpargata, alpargata, rope-soled shoe

alquilar, to hire

alrededor, around; **—es,** neighbourhood, surroundings

alterar, to alter, change; to excite

alto: de lo Alto, from on High

altura, height, level; **a estas —,** at this stage

alucinante, hallucinating

alzar, to raise; to plough stubble for the first time; **—se,** to rise up

allá, there; back; **— para,** around; **más —,** beyond, over

allanamiento, housebreaking

amagar, to threaten, be on the way

amago, warning

amainar, to abate

amanecer (*m.*), daybreak, dawn

amanecer, to dawn; to begin to appear

amapola, poppy

amar, to love

amarillear, to turn yellow

amarillento, yellowish, golden

amarrar, to tie

amasijo, mash

ambiente (*m.*), environment, atmosphere

ambos, both

amedrentar, to frighten

amenaza, threat

amenazador, threatening

amenazar, to threaten

americana, jacket

amilanarse, to abandon oneself; to fade away

amistoso, friendly

amo, landlord, estate-owner, boss, owner

amonarse, to crouch; to hide

amontonar, to pile up

amorcillado, chubby

amortiguar, to deaden

ampliar, to widen

amplio, wide, big

amustiarse, to wither

análago, analogous, similar

ancho, wide

andar (*m.*), gait

andar, to go, walk; to be; to be occupied; **— a gusto,** to be quite happy; **anda,** go on, well, come on!

andas (*f. pl.*), bier

angosto, pokey, narrow

anguila, eel

angustioso, full of anguish

anhelante, gasping

anidar, to nest

anillar, to ring

animación, life, good cheer

animado, lively

animar, to animate, enliven, encourage

ano, anus

anochecer (*m.*), nightfall

anochecer, to become night

anochecida, nightfall, dusk

anomalía, anomaly, abnormality

anómalo, anomalous, unusual

ansia, anxiety

ansioso, anxious

antaño, last year; at one time

anteayer, day before yesterday

antebrazo, forearm

antelación: de —, in advance

anterior, previous

antesala, waiting-room

anticipado, anticipated, advance

anticiparse, to anticipate, be in advance of

anticuado, old-fashioned

antojarse, to fancy, imagine, take it into one's head

antro, cave

anunciador, announcing

añadir, to add

apagado, faint, submissive, humble

apagar, to quench

apaleador, beater

apalear, to bear

apañado, finished, beaten

apañarse, to arrange things

apareamiento, mating

aparecido, ghost

aparentar, to resemble; to show; to seem

apartar, to put aside; to stand aside, stand back

apear, to prop up; **—se,** to get down, descend

apedrear, to hail

apelar, to appeal

apelmazado, compact, dense

apenas, only, scarcely, as soon as

apercibirse, to provide; to notice

apero, implement, tool

aperreado, overworked, harassed

aplacar, to placate

aplastar, to flatten, crush

aplicarse, to set about something properly

aplomo, aplomb, assurance

apolillado, moth-eaten

apostar, to post, station; to bet

apostillar, to note

apoyado, leaning

apoyar, to support, back up; **—se,** to lean

apoyo, support

apremiante, urgent

apremiar, to press

apremio, constriction

apresar, to grasp, seize

apresurado, hurried

apresurarse, to hurry

apretado, tight, tightly closed

apretar, to squeeze, press

aprisa, quickly

aprisionado, imprisoned

aprobatorio, approving

aprovechar, to take advantage of

aproximarse, to approach

apuesto, elegant, dapper

apuntado, pointed; beginning to appear

apuntar, to aim; to point out; to break

apurar, to hurry; to finish off

arado, plough

araña, (*bird-*)net

arar, to plough

arca, chest

arcén (*m.*), edge, curl

arco iris, rainbow
arder, to burn
ardiente, ardent, burning
arena, sand
arengar, to harangue, address
argaya, beard of wheat
argumentar, to argue
aricar, to plough up
aridez, aridity, barrenness
arista, edge, corner; beard (*of corn*)
armar, to start, create; to carry on
aro, ring
arpillera, sack-cloth
arquear, to arch, bend
arrabal, suburb
arracimarse, to cluster, huddle
arrancar, to pull out; —**se,** to start up, start off; to take off; to jump; — **de cuajo,** to tear out
arrasar, to clear up (*sky*); to scorch (*the earth*)
arrastrar, to drag, pull along; to take away
arrebujar, to wrap up
arreciar, to increase in intensity
arreglar, to arrange, settle; to repair; **arreglárselas,** to manage to
arremangar, to roll up sleeves
arrepentirse, to repent
arriba, above, up; Long live!
arribada, arrival
arriendo, letting; rent
arriesgado, desperate
arriesgarse, to take a risk
arrimado, beside
arrimar, to bring; —**se a,** to lean against; to go near; to go to

arriscado, bold, unflinching
arroba, = *weight of about 25 lbs.*
arrodillarse, to kneel
arrojar, to throw (*away*); to fling
arroyo, stream
arroz (*m.*), rice
arruga, wrinkle
arrullar, to lull, coo
arteramente, artfully
asaetear, to shoot arrows at
asalmonado, salmon-coloured
asaltar, to assault, strike
asar, to roast
asegurar, to assure
asentarse, to settle
asentimiento, assent
asentir, to assent, nod
asequible, accessible
aserrar, to saw
aserrín (*m.*), sawdust
asesinado, murdered (*person*)
asestar, to deliver (*a blow*)
asfaltar, to asphalt
así, so; — **que,** so; as soon as; — **y todo,** even so; — **es,** that's why
asiento, seat
asilio, asylum, home
asimismo, also; likewise
asir, to grasp, grab
asistir, to attend
asno, ass
asomar(se), to look out; to look in, appear
aspa, blade
aspaventero, making wild gestures
aspaviento, wild gesture
aspeado, tired out
áspero, harsh, rough
aspirar, to breathe; to aspire

astucia, astuteness, cunning
asumir, to assume
asunto, affair, matter, business
asustar, to frighten
atadura, bond
atajar, to cut off, cut short
atar, to tie
atardecer (*m.*), eventide
ataúd (*m.*), coffin
ataviado, bedecked
atávico, atavic, relating to remote ancestors
atemorizador, frightening
atenazar, to torture
atender, to attend (*to*), listen
atentamente, attentively
aterrador, terrifying
aterrar, to terrify
atezado, dark, swarthy
atisbar, to observe, scrutinize
atónito, astonished, startled
atosigar, to press, harass, impel
atrabiliario, atrabilious, pertaining to black bile
atraer, to attract
atrapar, to catch
atravesado, crosswise
atravesar, to cross, go through
atreverse, to dare
atribución, power
atronador, thunderous
atropellar, to knock down
atuendo, apparel
aturdir, to rattle, perturb, confuse
aullar, to howl
aullido, howl
aumentar, to increase, raise
aun, even
aún, still, yet
aura (*f.*), aura; breeze
auscultar, to auscultate, sound

ausentarse, to be absent
auto, automóvil, motor-car
autómata (*m.*), automaton
auxilio, aid
avanzar, to advance
ave (*f.*), bird, fowl
avefría, lapwing
avemaría, Hail Mary
avena, oats
aventar, to fan; to blow
aviarse, to get ready
avidez, eagerness
ávido, anxious
avieso, nasty, mischievous
avisar, to let someone know, send word
avivar, to hurry; to stir (*a fire*)
avutarda, bustard
ayudar, to help
ayuna, fast; **en —s,** before breakfast
ayuntamiento, Corporation
azada, spade
azor, goshawk
azoramiento, confusion, terror
azotea, roof terrace
azuela, adze
azufre (*m.*), sulphur
azulado, bluish
azulejo, kingfisher
azuzar, to urge on, set (*a dog*) on

babear, to drool
bacalao, cod, salted cod
badajo, tongue of a bell
bajo: por lo —; at the least; **—s,** lowlands
bálago, grain-stalk
balbucir, to mutter
balde (*m.*), bucket, pail
baldío, untilled land, waste

baldosa, paving-flag
balido, bleating
ballesta, spring of a trap
bandada, flock, covey
bandeja, tray
bando, flock
banquear, to be uneven
bañar, to bathe
baqueteado, vexed; made to run wild
barajar, to shuffle; to handle
barba(s), beard
barbecho, fallow field
barbilla, chin
barbotar, to mumble
barda, thatched wall; shingle, thatch
bardo, warren
barraca, hut
barreñón (*m.*), large earthen tub
barrer, to sweep
barriga, belly
barrizal, muddy place
barro, mud
barrote (*m.*), (*iron*) bar
bártulos (*m.pl.*), belongings, things
barullo, din, confusion
basto, coarse, home-spun
basura, rubbish, dirt
bata, overall
batiente, beating
batir, to beat; — **palmas,** to clap
bautismo, baptism
bautizar, to baptize
baya, berry
belfo, (*animal's*) lip
bendecir, to bless
bergante (*m.*), rascal
bermellón, vermilion
berrera, water-parsnip

berrido, squeal
berro, water-cress
berza, cabbage
besar, to kiss
beso, kiss
bicho, beast, grub, vermin
bidón (*m.*), drum
billete (*m.*), note
binar, to binate; to replough
bisectriz, bisecting line
bisiesto, leap (-*year*)
blancura, whiteness
blando, soft
blandura, mild weather
blanquear, to run 'whitely', to be white
blanquecino, whitish
blanquinegro, black and white
blasfemia, blasphemy
bobo, foolish
boca, mouth; — **abajo,** upside down; **de boquilla,** with talk only
bocajarro, in a loud voice in one's ear
bochorno, sultry weather
boda, wedding
bodega, cellar, wine-shop
bofetón (*m.*), slap on the face
boina, boinilla, beret; — **capona** tipless beret
bolita, little ball
bolsa, bag
bolsillo, pocket
bomba, pump
bombilla, electric bulb
bonete (*m.*), biretta
boqueada, gasp
boquiabierto, with mouth open
borbotón (*m.*), bubble
bordear, to skirt
bordonear, to buzz

borracho, drunk
borrar, to erase, put out
borrasca, squall, storm
borrico, donkey
bostezar, to yawn
bota, leather wine-skin; boot
botaza, big ugly boot
bracito, little arm
bramar, to roar
bramido, roar
brasa, hot coal
bravas: por las —, just like that
brazada, armful
brea, pitch, tar
brillo, shine, gleam
brincar, to jump
brinco, jump
brindar, to offer, give
brío, vigour
brioso, vigorous
brocal, well-curb, mouth
broma, joke
brotar, to spurt, sprout
brote (*m.*), fragment, shoot of a tree
bruces: caer de —, dar de —, to fall headlong
brusco, sudden, abrupt
brumoso, hazy
bufar, snort
búho, eagle-owl; **— nival,** snowy owl
buitre (*m.*), vulture
buñuelo, bun
burdo, rough, coarse
burro, donkey
búsqueda, search

caballejo, nag
caballería, animal for riding
cabecear, to nod

cabecera, head (*of a bed*)
cabizbajo, with head down
cabo, end; **al —,** finally, at the end, after
cabra, goat
cacha, (*side of a*) knife-handle; wooden stick
cachaba, wooden stick
cacho, bite, slice
cachondearse, to have one on
cachorro, pup
cadena, chain
caer, to fall; to pour; to set (*sun*); **—se,** to fall down, fall in
cagada, dung, droppings
cagar, to evacuate
cajón (*m.*), coffin, crib, box
calado, (*hat*) pulled down
calambre (*m.*), shock, spasm
calavera, skull
calcetín (*m.*), sock
calcinado, burned
caldear(se), to heat
caldera, cauldron
caletre (*m.*), mental capacity, good sense
calicata, burrow
cálido, warm
calina, mist, haze
calva, bald patch
calzada, vine-shoot
calzado (*m.*), shoes
calzado, shod
calzar, to wear (*shoes*)
callar, to be silent; to silence; **—la boca,** to shut up
calleja, alley
camachuelo, bullfinch
camada, litter, bed
camastro, rough bed
cambiante (*m.*), exchange

cambio, change; **de —,** changing; **en —,** on the other hand; **a —,** in exchange

campana, bell

campanario, belfry

campanilleo, tinkle of bells

campanillero, bell-ringer

campanudo, pompous

campechano, cheerful, generous, hearty

campeón (*m.*), champion

campesino, farmer, country person

camposanto, cemetery

canción, song

canela, cinnamon (*-coloured*)

canceroso, cancerous

candar, to shut

candil, oil-lamp

cangrejo, crawfish

canícula, dog days, hottest days

canicular, of the hottest days

cánon(es), canon; theology

cansar, to tire

cansino, very tired

cantear, to make piles; to build up

cantina, canteen, bar

canto, singing

canturrear, to hum

caña, cane, stalk

cañamón (*m.*), hemp-seed

cañón (*m.*), barrel

capa, layer

capar, to castrate, geld

capataz (*m.*), foreman

capaz, capable

capellán (*m.*), chaplain

capitanear, to lead, captain

capón (*m.*), capon

caprino, of goats

caracolear, to twist

carbonizado, charred

carburo, carbide, carbide lamp

carcajada, peal of laughter, guffaw

cárcava, gully, ditch, ravine

cárdeno, blue

cardo, thistle

cargar, to load

cargo, charge; **hacerse —,** to take charge

caricia, caress

carnicero, carnivorous, bloodthirsty

carrasco, holm-oak

carraspear, to clear one's throat, cough

carrera, race, run; professional course, career

carrillo, cart

carrizo, reed, common reed

carro, cart, cart-load

carromato, cart

carroza, hearse

cartelón (*m.*), big poster, notice

cartucho, cartridge

cascabeleo, jingle of bells

cascabillo, chaff

cascajera, place full of rubbish

cascajo, rubble, gravel

cáscara, shell

casco, hoof

caso: en todo —, even so; **en su —,** on occasion, when the case arose; **llegado el —,** when it came to the point; **hacer —,** to pay attention; **si es —,** at best

castigar, to punish

castigo, punishment

casualidad, chance, accident; **por —,** by any chance

catar, to geld, remove old comb from beehives

cauce (*m*.), river bed

cautividad, captivity

cavar, to dig (*up*)

cayada, shepherd's crook

caza, hunt, shooting

cazador, hunter

cazar, to hunt, shoot

cebada, barley

cebar, to bait

cebolla, onion

ceder, to cede; to die down

cegar, to blind, close up

cejar, to slacken

celdilla, cell

celebrarse, to be held

celemín (*m*.), = (*container to hold*) *about half a peck*

celeste, sky-

celo, mating instinct

celos, jealousy

celoso, zealous

cellisca, sleet

cena, supper

centella, lightening flash; buttercup

centelleante, gleaming

centenar, hundred

centenario, centenarian

centeno, rye

centrarse, to be centred

cepa, stump, stock

cepillar, to plane, shave

cepo, trap; collection-box

cerca de, near; nearly

cercenar, to cut off, sever

cerciorarse, to find out

cerdo, pig

cerebro, brain

cerner, to float, soar, hover; to threaten

cernícalo, kestrel

cernido, threatening

cerral, hill

cerrar, to close, end; **noche cerrada,** after dark

cerro, hill

cesta, basket

ciego, blind

ciencia, science; knowledge

cieno, mud, slime

cifra, figure, number

cigarrillo, cigarette

cigueña, stork

cimbel, decoy-bird

cinabrio, cinnabar (-*coloured*)

cine (*m*.), cinema

cínife (*m*.), gnat, mosquito

cintura, waist

circuir, to encircle

cirio, candle

ciruela, plum

clarete (*m*.), rosé wine

claro, clear; light; clearing; **— que,** naturally, of course

clavar, to stick, fix

claveteado, hobnailed, studded

clavo, nail

cloaca, cloaca, excrementary cavity of birds

clorato, chlorate

cobarde (*m.f.*), coward; (*adj.*) cowardly

cobijar, to cover, protect

cobijo, shelter

cobrar, to collect; to gain; to be paid; to bag (*game*)

cobre (*m*.), copper

cocer, to cook

cocina, kitchen; stove

coche (*m*.), car; **— de línea,** long distance bus

cochino, pig

cochinero, poor, miserable
cochiquera, piggery
codicia, greed
codo, elbow; **dar con el —, dar de —,** to nudge
codorniz, quail
coger, to catch, gather, pick, collect, take
cogote (*m.*), back of the neck
cohete (*m.*), rocket
cola, tail; **vagón de —,** end coach
colchoneta, narrow mattress
colega, colleague
colegiala, school-girl
cólera, anger
colgar, to hang (*up*)
colilla, cigarette-end
colina, hill
colmar, to fill up
colmena, beehive
colmillo, fang
colocar, to place; to find a job for; to put on
colonia, stock (*of bees*)
comadrear, to gossip
comadreja, weasel
combar, to bend
comedero, feed-rack
comenzar, to begin
cometer, to commit; to make
comienzos (*m. pl.*), beginning
comisura, corner (*of the mouth*)
compadecido, feeling pity
compartir, to share
compás (*m.*), time; **a — de,** in time with
competencia, competition
competidor, competitor
complacer, to delight; to oblige
complacido, delighted
cómplice (*m.f.*), accomplice

complicidad, complicity
componer, to compose, form
comportarse, to behave
compostura, composure
compresa, compress
comprobar, to find out
compuerta, sluice-gate
compungirse, to feel sorry
comunicación, notice, note
concebir, to conceive (*of*), imagine
conceder, to grant, allow
concepto, item
conciencia, conscientiousness; conscience
concierto, concert
conciliador, pacifying
concluir, to conclude, finish
concretar, to make concrete; to direct
concurrencia, those present
condenado, damned, condemned man
conducir, to lead, take, drive
conejar, warren
conejera, hutch
conejo, rabbit
confesionario, confessional
confiado, confident
confianzudo, intimate
confiar, to entrust
confluir, to flow together
conformarse, to be satisfied
conforme, according
confundir, to confuse
congelarse, to freeze
congeniar, to get on well
congregarse, to congregate
conjurar, to conjure; to avert
conjuro, entreaty
conminar, to warn, threaten with punishment

conmoverse, to feel emotion

cono, cone

conocer, to know; — **al dedillo,** to have at one's fingertips

conocido (*m.*), acquaintance

conocimiento, knowledge

conseguir, to achieve, get, manage, ensure

consejo, council

conserva: en —, tinned, preserved

consigna, watchword, sign

consistente, thick

constiparse, to catch a cold

construir, to build

contado, few

contagiar, to infect

contar, to count, number; to tell, talk about; **no poder ni —lo,** almost to die

contorno, contour, outline, figure, area

contra: por —, on the other hand; **en —,** contrary

contradecir, to contradict

contraer, to contract

contraluz: a —, against the light

contrapelo: a —, against the lie of the hair

contrarrestar, to counteract

contratar, to contract; to hire

contrincante, adversary

contumacia, obstinacy

contumaz, persistent

contundencia, definiteness

contundente, final, definitive, clinching

convecino, neighbour

convencer, to convince

convenir, to agree

convergir, to converge

conversador, conversationalist

convertir, to convert

coño, hell, damn it

copa, glass (*of wine*)

copo, flake

coraje (*m.*), courage

corazón (*m.*), heart; **dedo —,** middle finger

corbata, tie

cordel, cord

cordero, lamb

corear, to chorus, say in chorus

coro, chorus, choir; **a —,** all together

coronar, to crown, crest

corral, yard

correa, leather strap

corregüela, mare's tail, bindweed

correría, ramble

correspondencia, response

corresponsalía, correspondentship; charge

corretear, to wander, amble

corriente (*f.*), current, draught (*adj.*) **agua —,** running water

corro, circle, group; **a —,** in tufts

cortar, to cut (*off*)

corte (*m.*), cut, nick, bit out of

corte (*f.*), city where a monarch dwells, court

cortina, curtain

corvo, curved

cosa: a — de, at about

cosecha, crop

cosquilleo, tickling

costado, side; **de costadillo,** sideways; **de —,** on one's side

costar, to cost; to take; to be difficult

costra, crust

cotarra, side of a ravine

F

coxígeo, of the coccyx

coyuntura, juncture, point, circumstance

craneo, skull

crear, to create, make

crecer, to grow

creciente, increasing

crepitar, to crackle

crepúsculo, twilight

cresta, summit

criada, maid-servant

criar, to rear, breed

criatura, creature, child

criba, sieve

crío, young (one)

crispar, to contract; to clench

cristal, glass

cristalino, crystalline

cromo, picture

crotorar, stork's cry

crudo, raw, harsh

crujido, creak; crack

crujir, to creak; to crack

cruzar, to cross; to slap; **—se con,** to meet

cuadra, stable

cuadrilla, troop

cuajar, to set, harden

cuanto: en —, as soon as; **en — a,** as regards

cuánto, how much

cuarta, quarter; a hand's breadth

cuarto, fourth; quarter

cubrir, to cover; to block

cuchichear, to whisper

cuchillo, knife

cuello, neck; collar

cuenca, valley, river basin

cuenta, account, cost; **darse —, hacerse —,** to realize; to imagine; to notice; to understand; **tener en —,** to remember

cuento, count; story; **sin —,** countless

cuerda, winding-up, cord, line; **tener —,** to be wound up

cuerno, horn

cuerpo, body; **a — limpio,** in a clean fight, in single combat

cuervo, raven, crow

cuesta, hill

cuestionario, questionnaire

cueto, hill, high place

cuidado, care; **de —,** to be watched, of importance; **poner —,** to be careful; **cuidadosamente,** carefully

cuidar, to take care of

culebra, snake

culpa, fault; **tener la —,** to be to blame

culpar, to blame

cumbre (*f.*), summit

cumplido, compliment; ceremony, formality

cumplir, to fulfil; to reach

cundir, to grow; to yield abundantly; to spread

cuneta, roadside, ditch

cuña, wedge

cuñada, sister-in-law

cura, priest; **curón,** big priest; **señor —,** Father

curtir, to tan

custodiar, to guard

"cyclonium", cycloconium oleaginum, *a disease of olive-trees*

champiñón (*m.*), mushroom

chamuscado, scorched

chamusquina, singeing, scorching

chapa, metal plate

chapotear, to splash
chaqueta, jacket
charca, pool
charco, pool, puddle
charlar, to chat, talk
chasquido, crack, crackle; click
chascar, to crackle; to click
chato, flat; flat-nosed
chaval, boy
chavala, girl
chavea (*m.*), lad, rascal
chaveta, round the bend
chico, boy; (*adj.*) small, little
chilla, animal-call
chillar, to scream, shriek
chillido, squeal, scream
chillón, shrill, harsh
chimenea, chimney
china, pebble
chiquillo, little boy, youngster
chirriar, to creak; to chirp
chirrido, chirping
chispa, spark
chisporrotear, to throw out sparks
chisquero, lighter
chita (*f.*), ankle
chita, chito, out! quiet!
chon, pig
chopo, poplar-tree
chorro, spurt, gush
chotacabras (*m.*), nighthawk
chova, chough, jackdaw
chupada, puff, drag; **dar una —,** take a puff
churretoso, smudgy
chusco, funny

dale, go on!
daño, damage, harm
dar, to give; to switch on; **—se,**

to turn out; **— con,** to find; **—le a uno por,** to take to
débil, feeble
deber, ought, must; (*m.*) duty
decapitar, to behead
decena, ten (days etc.)
decepción, disappointment
decepcionado, disillusioned, disappointed
decidido, determined
decidirse, to decide, make up one's mind
decir (*m.*), words; **al — de,** according to
dedicado a, engaged on, in
dedo, finger
defectuoso, defective, imperfect
defenderse, to get by
definir, to make out; **—se,** to become defined, clear
definitiva: en —, in short, in a word
dejar, to leave, leave alone, not to bother; to stop, cease
deje (*m.*), accent
delantero, front
delatar, to denounce, give away
deleitoso, delighted; delightful
deleznable, brittle, frail
delimitar, to delimit
delito, offence, crime
demás, rest, others; **por lo —,** apart from that
demonio, (the) devil
demontre (*m.*), (the) devil
demorar, to delay
demostrar, to show
denegar, to deny, answer in the negative
dentadura, dentures
dentellada, nip, bite
depositar, to place

F*

depositario, depositary, trustee
deprisa, fast
derecho, straight; right
derramar, to shed, pour out
derredor: en —, around
derretir, to melt
derribar, to knock down
derruido, demolished
derrumbado, slumped; demolished
derrumbar, to knock
desabrido, bad-tempered
desacompasado, irregular
desafiante, defiant
desafinado, out of tune, flat
desaforado, impudent
desaguisado, offence, outrage
desahogarse, to relieve oneself
desahuciar, to evict
desahucio, eviction
desalojar, to move out, quit; to get rid of, eject
desamparo, forlornness
desanimarse, to lose heart
desaparecer, to disappear
desapasionado, dispassionate, indifferent
desaprobar, to disapprove
desarraigar, to uproot
desarrollarse, to develop
desasosiego, restlessness
desastre (*m.*), disaster
desatar, to unleash, loosen
desazonar, to worry
desbandada, helter-skelter
desbaratar, to break up, destroy
desbordado, overflowing
desbordar, to overflow
descalzar, to take off shoes
descalzo, unshod
descampado, open
descansar, to rest

descargar, to unload; to inflict
descarnadura, fleshless part
descentrado, out of plumb
descolgar, to get down; **—se,** to fall gently
descolorido, colourless, pale
descomponer, to disturb; **—se,** to lose one's temper
descompuesto, insolent, bold
desconcierto, discomposure
desconfiado, mistrustful
desconfianza, mistrust
desconfiar, to have little confidence
desconocido (*m.*), stranger
desconsiderado, inconsiderate
descontado: por —, naturally, of course
descortezar, to remove bark
descuartizado, quartering
descubierto, uncovered
descubrimiento, discovery
descubrir, to discover; to disclose
descuidar, not to worry
descuido, moment when one is off guard
desdén (*m.*), disdain
desdeñar, to disdain
desecho, worn-out, cast-off
desencadenar, to unchain, let loose
desempeñar, to carry out
desenraizar, to uproot
desenrollar, to unroll
desentumecer, to free from numbness
desesperado, desperate; **a la desesperada,** in desperation
desesperar, to despair; to be vexed
desfasado, limp

desfilar, to parade
desflecar, to remove fringes
desfogar(se de), to give vent to
desgañitar, to shriek
desgarrado, heart-rending
desgarrar, to tear apart
desgaste (*m.*), wear and tear
desgracia, misfortune, disaster
desgraciado, miserable wretch
desgranar, to thresh (*separate into grain and chaff*)
desgreñado, dishevelled
desguarnecer, to strip, lay bare
deshacerse, to melt
deshinchar, to deflate
deshuesado, boneless, pitted
desigual, unequal
deslizarse, to slip
deslucir, to ruin, wreck
deslumbrado, dazzled
deslumbrante, dazzling
desmatar, to uproot
desmayado, weak, wan, drooping
desmayo, weakness, faintness
desmelenado, unkempt
desmochar, to lop off
desnudar, to undress
desnudez, nakedness
desnudo, naked
desolado, desolate, disconsolate
desollar, to flay, skin
desorbitado, out of orbit
desordenado, disorderly
despacio, despacito, slowly, at length
despachar, to finish off
despacho, office
desparramar(se), to scatter, spill
despectivo, contemptuous
despedida, farewell

despedir, to send off; to give off (*a smell, etc.*)
despegar, to open
despejado, clear
despejar, to clear
despeluzado, hair-raising; dishevelled
desperdigar, to disperse
desperezarse, to stretch one's limbs
despertar, to wake up, arouse
despiadado, merciless
desplazarse, to move
desplegar, to unfold, develop
desplomar(se), to collapse, fall
desplumar, to pluck
despojar, to strip
despojo, remains, debris
desprenderse, to fall down; to come loose; to come
destartalado, ramshackle
destellar, to beam, gleam
destello, beam, gleam
destemplado, inharmonious
destemplarse, to become ruffled
destiempo: a —, at a wrong time
desvaído, pallid, dull
desvanecer, to fade
desviarse, to deviate
desvivirse, to show great interest
detenerse, to stop
detenidamente, attentively
determinado, determined, given
detonación, explosion
detonar, to explode
devastador, devastating
devolver, to give back; to vomit
diablo, devil
diario, daily; (*m.*) daily newspaper

dibujar(se), to outline

dictaminar, to order; to sentence; to give a verdict

dicho (*m.*), saying

diestro, skilful, dexterous

difuminar, to stump, tone or blend lines of shading

difundir, to spread

difunto (*m.*), deceased, late

difuso, diffuse, large

dije (*m.*), charm, gem

dilatado, extensive

diluir, to dilute

dios, God; **Vaya por —,** for God's sake

dirigirse a, to address, speak to; to go towards

disculpar, to excuse; **—se,** to apologize

discurrir, to flow

discurso, speech

diseminado, separate

disfrutar, to enjoy

disgusto, trouble

disimulado, inconspicuous, hidden

disimular, to hide

disiparse, to disperse; to die down

disminuido, diminished, reduced

disparar, to fire

disparate (*m.*), nonsense

displicente, glum, unpleasant

disponer, to prepare, dispose, lay out; **—se,** to prepare; **— de,** to have

dispuesto, ready

distinto, different

distraer, to distract

divertir, to amuse

divisar, to catch sight of

divisoria, dividing line

doblar, to turn, bend, go round

dogal, noose

doler, to hurt

doliente, suffering

dolorido, painful, doleful

don, Mr; gift

dorado, gilt, golden

dormitar, to doze

dorso, back

dotado, endowed

dote (*m.*), dowry

dubitativo, doubtful

duelo, duel; **sin —,** abundantly

dueña, mistress, owner

dueño, owner

dulce, soft, sweet

duro, *duro,* five pesetas; (*adj.*) hard; **a duras penas,** with difficulty, scarcely

ebullición, boiling

echar, to throw; to give birth; to start; **— en falta,** to miss; **— un discurso,** to make a speech; **—se,** to begin, to come on

eficaz, efficacious

efímero, ephemeral, short-lived

ejemplar, example; specimen; (*adj.*) exemplary

ejercer, to practise, act

elaborar, to manufacture

elevar, to raise; **—se,** to rise

embardado, in a warren

embarrado, muddy, caked

embobado, fascinated, gazing

embolsar, to pocket

emborracharse, to get drunk

embriagar, to intoxicate

embrollar, to embroil, complicate

embuchado, packed in

empacado, in bales

empalidecer, to go pale

empalme (*m.*), splice

empañado, blurred, misted

empapar, to soak

emparejado, with a mate, paired

emparrado, bower

empellón, shove

empenachado, plumed

empeñarse, to insist

empeño, effort

empequeñecerse, to grow smaller

empero, nevertheless, however

empinar, to raise; —se, to stand on tiptoe; to rise

empleado, employee

emplumar, to grow feathers

empotrar, to fix, embed

emprender, to undertake

empujar, to push, impel

empuje (*m.*), drive, effort

empuñadura, handle

empuñar, to clutch, seize

enano, dwarf

enarbolar, to raise

encadenarse, to interlink

encallecido, callous

encamado, lying down

encamarse, to take to one's bed

encaminarse, to go towards, make for

encampanarse, to brag

encañado, in stalks

encañar, to form stalks

encapotar, to become cloudy

encaramar(se), to climb, rise up

encarar(se), to face

encarecer, to urge

encargado (*m.*), foreman

encargar, to commission

encargo: al —, in charge

encarnizado, bitter

encarnizamiento, cruelty, rage

encender, to light; —se, to colour

encendido, ardent, live

encerrar, to enclose, lock in, lock up

encía, gum

encina, evergreen oak

encoger, to shrug; —se, to be depressed; —se de hombros, to shrug one's shoulders

encolerizado, enraged

enconado, bitter

enconar, to provoke

encono, spite, ill-will, bitterness

encontradizo: hacer el —, to feign a chance meeting

encontrar, to find, meet; —se, to be

encorpar, to become larger

encorvado, bent

encresparse, to bristle, be irritated

encuclillarse, to squat

enderezarse, to straighten up

endilgar, to pour out, direct

endurecido, hardened

enervante, enervating

enfebrecido, feverish, frantic

enfermar, to fall ill

enfermizo, sickly

enfocar, to focus on, look at

enfrentarse con, to face

enfriarse, to catch a cold

enfundar, to encase

enfurecerse, to become furious

enfurruñado, scowling

enganchado, hooked

engañapastores (*m.*), churn owl, fern owl

engaño, lure
engañoso, delusive, deceptive
engarfiar, to crook, hook
engolado, deflected in the throat
engomado, gummed
enjaezado, harnessed
enjambrazón, swarming
enjambre (*m.*), swarm
enjuto, lean
enlazar, to connect, link; to entangle
enloquecido, mad, crazy
enlutado, dressed in black, in mourning
enmarañar, to tangle
enmudecer, to become silent
ennegrecido, blackened
enojado, angry
enojoso, annoying
enredarse, to get entangled
enrojecer, to redden
enrollado, rolled up; — **a,** coiled around
enronquecido, gone hoarse
enroscado, curled up
ensalivar, to wet with saliva
ensancharse, to expand, go on
ensañamiento, ferocity
ensañarse, to vent one's fury
enseñanza, lesson, teaching
ensombrecerse, to become cloudy, overcast
ensordecedor, deafening
enterarse, to find out
enternecer, to move, touch
enterrar, to bury
entierro, funeral, burial
entoldar, to shade; to overhang
entonar, to get in tune; to sing
entornar, to half-close
entorpecer, to impede, obstruct

entrada, entrance; **de —,** at the beginning
entrañas (*f.pl.*), entrails, bowels
entreabrir, to half-open
entrecejo, brow
entrecerrar, to half-close
entrecortado, interrupted
entrecruzar, to intercross
entregar, to surrender, hand over
entrelazar, to entwine, join
entremezclar, to intermingle
entretener, to amuse
entreverar, to mix, intermingle
entrometerse, to meddle
enturbiar, to confuse; **—se,** to become confused
envalentonado, given courage
envalentonar, to pluck up courage
envarado, stiff
envejecer, to grow old
envés, back
envidioso, envious
enviscar, to set (*a dog*) on, incite
envolver, to mix; to enclose, envelop
enzarzar, to entangle; to squabble
equivocarse, to be mistaken
era, thrashing floor, plot
erguir, to raise up, straighten
erigir, to erect
erizar, to bristle
erizo, hedgehog
esbelto, tall and graceful
esbozar, to sketch, outline
escabullirse, to escape; to scamper
escalera, steps
escalón (*m.*), step
escampar, to clear up (*of weather*)

escarbar, to scratch (*the earth*)
escarbo, scratch
escarcha, white frost
escardar, to weed
escarnio, jeer
escarola, endive, kind of chicory
escasear, to be scarce
escasez, scarcity
escíbalo, goat excrement
escoba, broom
escolar, schoolboy
escondrijo, hiding-place
escopeta, shotgun
escorrentía, flow of water
escribanía, writing set
escribano, bunting (*ornith.*)
escuálido, squalid
escudriñar, to scrutinize
escueto, solitary, uninhabited
escupir, to spit
escupitajo, spit
escurrir(se), to drip, ooze, slide
ese (*f.*): **hacer —s,** to stagger
esforzarse, to make an effort, try
esfuerzo, effort
esguince (*m.*), twist
eso, that; right; ¿**y eso?** why?
espabilado, bright, wide-awake
espadaña, reed-mace, bulrush
espalda, back; **de —s,** with the back turned; backwards; **en la —, a la —,** behind one's back
espantar, to frighten, dismay
esparcido, scattered
espasmo, spasm, fit
espejear, to reflect
espeso, thick, intense
espesura, thickness
espiar, to spy on
espiga, ear of corn
espinazo, spine

espiritualizarse, to become spiritual, evaporate
espliego, lavender
espolvorear, to scatter
esponjarse, to glow; to puff up
esponjoso, spongy
espuma, froth
esquila, bell
esquina, corner
esquinazo, corner
esquinadamente, crosswise
esquivar, to avoid
esquivo, elusive
estabilizar, to stabilize
establo, stable, cowshed
estaca, stake, pole, stick
estación, season
estacionarse, to station oneself
estado, state
estallar, to burst, break out
estallido, burst, crackling, outburst
estampido, report, burst
estancado, stagnant
estancia, stay; room
estanco, cigarette shop
estanquera, owner of an *estanco*
estela, track, tail
estentóreo, stentorian, loud
estiaje (*m.*), low water
estiércol, manure, dung
estirar, to stretch (*out*)
estómago, stomach
estornino, starling
estornudar, to sneeze
estrella, star
estremecerse, to shake, tremble
estremecido, shuddering, chilling
estremecimiento, shudder
estrépito, crash, clamour
estriar, to crease

estribillo, refrain

estribo, stirrup; **perder los —s,** to lose control of oneself

estridente, strident, shrill

estrofa, stanza, verse

estruendo, clangour; rumble

estrujar, to crush, squeeze

estupefacto, stupefied, amazed

evangelio, gospel

evitar, to avoid

evolucionar, to move around

exangüe, bloodless

excitación, excitement

excrecencia, excrescence

exhalación, lightning flash

exigir, to demand

exiguo, meagre

expandir, to give out

expectativa, wait, hope

expedito, expeditious, agile

experimentar, to experience, feel

explicar, to explain

exponer, to expose; to expound

expulsar, to expel

extenuado, weak

extraer, to extract

extrañar, to find strange

extraño (*m.*), stranger; (*adj.*) strange

extremeño, from Extremadura

extremo, end, top

fabricar, to manufacture, make

facciones (*f. pl.*), features, face

facilidad, ease; **con —,** easily

faena, task, performance

falaz, false

falda, side of a hill

faldear, to skirt (*a hill*)

faltar, to be missing, lack; to need

fallecer, to die

fallecimiento, death

fama, fame, name, reputation

fanega, = (*container to hold*) *1.6 bushels of grain*

fango, mud, mire

fantasma (*m.*), ghost

fantasmagórico, phantasmagoric

fardo, burden

farfullar, to mumble

farmacéutico, pharmacist

farol, lantern

farolero, lamplighter

fastidiar, to tire, bore, annoy

faz, face

fe (*f.*), faith

febril, feverish

fecha, date; **por esas —s,** about that time

feliz, happy, fortunate

fenómeno, phenomenon

feo, ugly, mean

feracidad, fertility

féretro, coffin

feroz, fierce

ferrocarril, railway

festividad, festivity

festonear, to festoon

fetidez, fetidity, stench

ficha, domino (*piece*)

fieles, (the) faithful

fiesta, holiday, non-working day, party, feast

fijar, to fix, set up

fijo, fixed, certain; **mirar fijamente,** to stare

fila, line, row

filete (*m.*), edge, line

filo, edge

filtrarse, to filter

finalizar, to end

fino, refined, delicious; **por lo —,** delicately

finta, feint

firme: de —, hard, steadily

fláccido, limp

flamear, to flame; to wave

flanquear, to flank

flauta, flute

fleco, fringe

florecilla, little flower

florecer, to blossom; **por —,** not yet in bloom

flotar, to float

fogón (*m.*), hearth, stove

fondo, bottom; back (*of a room*); depth, background

forastero, stranger

forma: de — que, so that

formón (*m.*), chisel

fornido, hefty

forrado, padded

forraje, (*m.*), fodder

forrar, to stuff

forzado, forced, artificial

fósforo, match

fraccionar, to break up

fraguar, to forge; to plot

franco, open, free

frangollo, stew, slop

franquear, to cross

frasco, bottle

frecuentar, to frequent, keep company

frenar, to brake, restrain

frenesí (*m.*), frenzy

frenético, frantic, mad

frente (*m.*), front; **de —,** straight ahead; **al — de,** at the head of; **— a —,** face to face; (*prep.*) **— a,** in front of

frente (*f.*), forehead

freza, excrement

frito, fried

friura, cold

fronda, foliage, verdure

frondoso, leafy

frotar, to rub

fruición, enjoyment

fruncir, to pucker, wrinkle; **—se,** to shrivel

fuera, outside

fuga, flight

fulminante, explosive

fumarola, vapour

fundamento, reason

fundir, to fuse, merge; to melt

fúnebre, funereal, sad

funeraria, funeral undertaker's

gacho, bent down

gajo, sector, section

galápago, liver fluke

galgo, hound

gallina, hen

gallo, cock

gama, range

gana, wish; **no darle la —,** not to want; **dar —s,** to make one feel like

ganado (*m.*), herd, cattle

ganar, to earn; to win; to reach

gandul, idler, tramp

ganso, gander; goose

gañir, to yelp, bark

garabato, scrawl; gesture

garbo, elegance

garganta, throat

garra, claw

garrapateado, scribbled

gasolina, petrol

gatera, cat's door

gemido, moan, howl

gentío, crowd

gestión (*f.*), administration; negotiation

gesto, face, expression, gesture, action

gillette (*m.*), Gillette razor

girar, to turn round, revolve

gitano, gypsy

glauco, pale green or blue

globo, ball, balloon

gloria, glory; grate

golondrina, swallow

goloso, sweet-toothed

golpe (*m.*), blow; **— de gracia,** coup de grâce; **de —,** suddenly

golpear, to hit

goma, rubber

gordo, fat; serious

gorjeo, twitter

gorra, cap

gorrión (*m.*), sparrow

gota, drop

gozarse (de, en), to enjoy

grada, step

grado, degree

grajo, crow, rook

granar, to ear out

granazón (*f.*), granulation

grandeza, greatness

granero, granary

granito, granite; little pimple

granizada, hail-storm, sleet

granizo, hail-stone

grano, grain, corn

granuja, scoundrel

grato, pleasant

gravedad, seriousness

graznido, squawk

greda, clay; chalk

grieta, crack, crevice

grillo, cricket

grueso, fat, big, stout

gruir, to cry

gruñido, snarl, howl, growl

gruñir, to growl; to grunt

guantada, slap, blow

guarda jurado, local guard, attendant, game-keeper

guardar, to keep, mind; to put away; to show

guardia, guard; **en —,** at the ready

guarida, den, nest

guedeja, lock of hair

guerra, war

guía (*m. f.*), guide

guiar, to guide

guijo, stone

guiñar, to wink; to blink

guiño, wink

guisa, guise

guisante (*m.*), pea

guisar, to cook

habilidad, ability, capability

habitar, to live

habituarse, to get used, get accustomed

hacer, to do; to make; to pretend; to regard; to get (*game*); **— de,** to act as; to do with; **—se,** to become accustomed; to become; **— a,** to do; (*impers.*), **hace,** ago

hacia, towards; **— atrás,** backwards

hachero, candelabrum

hallar, to find

hallazgo, find

hambre (*f.*), hunger, famine

hambriento, hungry

hartura, being fed up

hasta, until, even, up to

hectárea, hectare (*2.47 acres*)

hechizo, spell
hecho (*m.*), fact; act
hedor, stench
helada, frost; **de —,** frosty
helar, to freeze
hembra, female
henchir, to swell
hender, to rend
herida, wound
herir, to wound
hermetismo, secretiveness
hermoso, beautiful
herrada, bucket(ful)
herrador, farrier
herramienta, tool
herrar, to shoe horses
herrumbroso, rusty
hervir, to boil
hibernizo, wintry
hierba, grass
hierbabuena, peppermint
hierro, iron
hígado, liver
hilillo, little thread
hincar, to drive in; to sink
hinchar, to swell, fill
hinojo, knee; **de —s,** on bended
knees
hirsuto, hairy, shaggy
hisopo, hyssop (*for holy water*)
hocico, snout
hogaño, this year, at present
hogar, fire-place, hearth; home
hogaza, loaf of bread
hoguera, blaze, bonfire
hoja, leaf
hojarasca, withered leaves
hola, hello
holgado, easy
holgura, abundance
hollar, to tread upon
hombro, shoulder; **arrimar el**

—, to turn one's hand
homenaje (*m.*), homage
hondo (*m.*), depth, deep, bottom
hondonada, ravine, gully, dale
horadar, to pierce
horca, hay-fork
hormiga, ant
horrísono, sounding horrible
hortaliza, green vegetable
hosco, dark brown; sullen
hosquedad, sullenness
hoya, tree-nursery; hole
hoyo, pit, valley, hole
huebra, ox-team
hueco, gap, interval; (*adj.*) hollow, vain, empty
huella, trace, effect
huerta, irrigated land; gardens
huerto, garden
hueso, bone; **dar con sus —s,**
to end up
huevo, egg
huidizo, evasive, fleeting
huir, to flee
humear, to give out smoke
humedad, dampness
humedecer, to become moist
húmedo, moist, damp
humildad, humility
humilde, humble
humillante, humiliating
humillar, to bow down; to
humiliate
humo, smoke
humus (*m.*), humus, vegetable
mould in soil
hundir, to sink; to crush; **—se,**
to collapse, give way
húngaro, gypsy
hura, hole, burrow
huracán (*m.*), hurricane
hurgar, to poke

hurón (*m.*), ferret
husmear, to sniff; to pry

iglesia, church
ignorar, not to know
igual, equal, all the same
iluminar, to light up
ilusión (*f.*), illusion, enthusiasm, hope
ilusionado, hopeful
imbuir, to imbue, inspire
impacientarse, to get impatient
impasible, impassive
impávido, dauntless
impetrar, to implore, beg for
importar, to concern; to matter
importe (*m.*), amount, price
imposibilitar, to make impossible
imposición, demand
imprimir en, to imprint on
improperio, scolding, taunt
improviso, unexpected
impulsar, to impel
impunidad, impunity
inadvertido, unnoticed
incandescente, white hot
incansable, tireless
incapaz, incapable
incendiar, to set on fire
incienso, incense
incitación, temptation
inclinar, to bend, bow
incluso, even
incorporarse, to get up, sit up, straighten up
incursión (*f.*), incursion; descent
indecible, unspeakable
indeciso, uncertain
indefenso, defenceless
indescifrable, indecipherable

indeseable, undesirable
indigente, indigent, needy
indino, indigno, wretch
ineducado, bad-mannered
infancia, childhood
inferior, lower
infierno, hell
infortunio, misfortune
infundir, to infuse
infuso, infused
ingeniar(se), to contrive skilfully
ingeniero, engineer
ingerir, to swallow
ingrato, unpleasant
ingrávido, light
inhóspito, inhospitable, unfriendly
injertar, to graft
inmediación, neighbourhood
inmediato, immediate, next
inmenso, immense
inmigrar, to immigrate
inmóvil, immobile
inmovilizarse, to become immobilized
inmutarse, to change colour; to blush; to change expression
inopinadamente, unexpectedly
inquieto, restless
inquietud, anxiety
inquirir, to enquire
insano, unhealthy
inseguro, unsure
insólito, unusual
instancia, request; **en última —,** in the last resort
instruido, educated, learned
íntegro, intact, untouched
intemperante, intemperate
intemperie (*f.*), open air; bad weather
intento, attempt

intervención, intervention, part played

íntimo, intimate, inward

intuir, to know by intuition, feel

inútil, useless

inutilizarse, to become useless

invadir, to invade; to fill

invernal, wintry

inverosímil, incredible

inversión (*f.*), investment

invierno, winter

invitado (*m.*), guest

ira, anger

irisación, iridescence

irreal, unreal

irreductible, stubborn

irrespirable, stifling

irrumpir, to burst through, enter

irrupción, entry, invasion

izar, to raise

júbilo, joy

juguetear, to play, toy

juez: señor —, judge

jugar, to play; **jugársela(s),** to play a trick

jugo, juice

juicioso, wise, shrewd

junquera, rush, rush patch

junta, joint

juntar, to join

junto, together; **— a,** beside, near, with, to; **en —,** in total

jurado: guarda —, local guard, attendant, game-keeper

juramento, oath

jurar, to swear

justicia: — distributiva, distributive justice; **— conmutativa,** commutative justice

juventud, youth

juzgar, to judge, consider

jactarse, to pride oneself, boast

jaculatoria, ejaculatory prayer

jadeante, panting

jadear, to pant, puff

jalonar, to mark out

jamás, never; ever; **para siempre —,** for evermore

jarras, arms akimbo

jaula, cage

jefe (*m.*), head, chief, boss

jerez (*m.*), sherry

jergón (*m.*), straw bed

Jesucristo, Jesus Christ

jorco, licentious dance

jornada, day's work

jornal, (*daily*) wage

jornalero, (*day*) labourer

jorobado, hunchback

labio, lip

labor (*f.*), farm work, work

laborioso, difficult (*to get*)

labranza, farm

labrar, to make

labriego, farmer, farm-worker

lacrimal, corner of the eye

lácteo, milky

ladear, to tilt, turn sideways

ladera, slope

ladrar, to bark

ladrido, bark

ladrillo, brick

ladrón (*m.*), thief

lagartija, eft, small lizard

lagartijero, eft-catching

lagarto, lizard

laja, slab, flag-stone

lamer, to lick

lámpara, lamp, bulb
lanceolado, lanceolate, shaped like a spearhead
lancha, partridge-snare
languidecer, to languish
lanzar, to launch, fling; **—se,** to jump, pounce; to begin
lapicero, pencil
larga, far off
largar, to expel; **—se,** to go away
lasca, stone chipping, stone
lastimar, to hurt
lastimero, doleful
latido, beat; throw
latigazo, whip, lash
latir, to beat; to throw
lavativa, enema
lavatorio, washing
lazada, bow-knot
lazo, snare
lebrato, young hare
leche (*f.*), milk; damn it!
lecherín (*m.*), sun spurge
lecho, bed
lechoso, milky
lechuga, lettuce
lechuza, barn-owl
lejano, distant
lelo, stupid
lengüeta, tongue
leña, firewood
levantar, to raise; to set up, build up; to be tall; to clear (*sky*); **—se,** to get up
leve, light
liar, to tie; to roll (*a cigarette*)
librillo, book of cigarette-papers
licenciado (en), Bachelor (of)
licitación, auction, bid
liebre, hare
ligero, light, slight

limpiar, to clean
linde (*m. f.*), boundary
lindera, boundary
linderón (*m.*), marsh, mere
línea, line, outline; **coche de —,** long-distance bus
liquidar, to settle
listo, ready, smart, bright
listón (*m.*), lath; batten
lóbrego, gloomy
locuacidad, loquatiousness
locuaz, talkative
lodazal, muddy place, mud
lodo, mud; slush
lograr, to manage, achieve
logro, success
loma, hillock
lombriz, earthworm
lomo, back of an animal; loin
lucero, star
lucir, to shine
lucha, fight
lugar, village, place; **en — de,** instead of
lugareño, villager
lúgubre, lugubrious, sad
lumbre (*f.*), fire
luminaria, illumination
luminosidad, light
luminoso, luminous
lunar, spot, mark
luto, mourning
luz, light, enlightenment

llama, flame
llamada, call
llamar, to call; to knock; **mandar —,** to send for
llanto, cry, lament
llegada, arrival
llegar, to arrive, get as far as,

reach, go; to become; —**se**, to go
llenar, to fill
lleno, full
llevar, to carry; to wear; to ask a price; to have spent time; —**se,** to take away
llorar, to weep, cry
llover, to rain
lluvia, rain

macizo, thick, close, massive
macho, male
madera, wood
madriguera, burrow, den
madrugada, early morning; **de —,** at dawn
madrugar, to get up early; to do things in advance
maduro, mature, ripe
maestro, school-master, master
magno, great
majo, good fellow
majuelo, grapevine; white hawthorn
mal, illness, disease; worst; harm; bad, badly; **menos —,** just as well; **— que bien,** well or badly; **— de ojo,** the evil eye
maldecir (de), to curse
maldición, curse
maldito, cursed, damned
maleante, villain
maledicencia, scandal-mongering
maleza, thicket
malhumorado, bad-humoured
maliciar, to injure
malmeter, to suggest bad ideas
mama, mammary gland, breast
manada, herd

manaza, big hand
mancha, stain
mandado, person acting on orders
mandamiento, commandment
mandar, to order, command; to send
mandíbula, jaw
manejar, to handle, use
mango, handle
manicomio, lunatic asylum
mano (*f.*), hand; handful; **— sobre —,** idle; **echar una —,** to lend a hand
manso, gentle, tame
manteca, fat, lard
mantenido, one's board
manzanilla, chamomile
máquina, engine
maquinal, mechanical
marcha, walk, march
marchar(se), to go, go away; to proceed
maraña, jungle
marcar, to mark; **— el paso,** to mark time
marea, tide
marear, to make dizzy
margarita, daisy
margen (*m. f.*), margin; bank
marica, homosexual; 'so-and-so'
mariposa, butterfly; **— nocturna,** moth
marrano, pig
martilleo, hammering
marzas (*f. pl.*), *serenades* sung by village lads
mas, but
más, more, any more; but; **de —,** extra; **no ... —,** only; **sin —,** without need for more; **a — de,**

besides; **por — que,** however much

mascullar, to mutter

mata, shrub, bush; cluster

matacabras (*m.*), north wind

matadura, sore

matanza, slaughter, pig-killing

matar, to kill; to put out; **— el rato,** to pass the time

matarife (*m.*), butcher

mate, mat, dull

matizar, to blend

mato, underbrush, thicket

matojo, bush

mazorca, ear of corn

mecánico, mechanic, chauffeur

mecha, wick, fuse

mediado, half-way

mediante, by means of

médico, doctor

medida, measure, measurement; **a — que,** according as, as

medio, middle; method; half; **en — de,** in the middle, among; **a — hacer,** half way through; **a media voz,** in a whisper

medir, to measure

medrar, to thrive

medroso, timorous

mejilla, cheek

mejorar, to improve

melifluo, mellifluous, sweet

membrillo, quince

mendigo, beggar

menear, to shake, move

menester, office

mensaje (*m.*), message

menta, mint

mentar, to mention

mentira, lie

menudo, small; **a —,** often

merecer(se), to deserve

merendar(se), to have a snack (of)

merienda, meal, snack, lunch

mermar, to dwindle

merodear, to prowl

meseta, tableland, plateau

mesura, measure; small quantities

meter, to put (*in*); **metido en arrobas,** good and fat; **—se,** to go; **—se con,** to interfere with

mezcla, mixture

mezclar, to mix

mezquino, miserable, mean

miel (*f.*), honey

miembro, limb

miente(s) (*f.*), mind

mientras, while, as long as; **— tanto,** meanwhile

mierda, excrement

mies (*f.*), corn

migado, crumbed

mijo, millet

milagro, miracle

mimbrera, willow

mimetismo, mimicry

mimo, pampering, fuss

minar, to mine, burrow

mira, view; purpose

mirada, look, glance

misa, Mass

miseria, misery, starvation

misericordia, mercy

mísero, miserable

mismo, same; even; very, –self; **lo —,** maybe; **hoy —,** this very day

mitad, half; middle; **— por —,** half and half; **a — de,** half way (up)

modales (*m.pl.*), manners
mofa, mockery
mojar, to wet
molestar, to disturb, annoy; to hurt
molestia, trouble
molinete (*m.*), whirl, flourish
momia, mummy
monaguillo, Mass-server
monda, skin
mondo, bare, clean, clear
monigote (*m.*) **de nieve,** snow-man
monjío, nunhood, religious life
mono, monkey, ape
monserga, gibberish
montar, to ride; to be on top
monte (*m.*), wood, forest; mountain
montón (*m.*), heap
morado, purple
moratoria, moratorium (*authorized delay in paying a debt*)
morcilla, black-pudding
morder, to bite
mordisco, bite
morena, rick of corn
moribundo, dying (*man*)
morral, game-bag, catch
morro, snout
mortaja, shroud
mosca, fly
moscón (*m.*), large fly, bluebottle
mosquetón (*m.*), musket
mostrar, to show; —se, to prove
motear, to dapple, dot
motivo, motive; **con — de,** on the occasion of
mozo, youth, young man
mudar, to change, moult
mudo, dumb, mute
mueca, grimace, face

muelle, delicate
muerdo, morsel
muerto, dead
muestra, example, proof, sign
mugido, lowing of cattle
mugir, to low
muñeca, wrist
muñeco, doll, figure
muñón (*m.*), stump
murmullo, murmur
músculo, muscle
musitar, to mutter
muslo, thigh
mustio, withered

nacer, to be born, appear, sprout
naciente, rising (*sun*)
nariz, nose; **narices,** nostrils
narrar, to narrate, tell
nauseabundo, nauseating
navaja, clasp-knife
neblina, mist, fog
neblinoso, misty, foggy
necesitar, to need
negarse, to refuse
negocio, business
negrear, to grow black, appear black
nervioso, excited; sinewy; nervous
nevar, to snow, make snowy
nevada, snow-fall
nícalo, mízcalo, mushroom
nido, nest
niebla, fog, mist
nival, snowy
nivel, level, standard
nítido, clean, clear
nogal, walnut
noroeste, Northwest

noticia, news, information
novedad, news; something new
nubarrón (*m.*), big cloud
nublado, cloudy sky; rain-cloud
nuca, nape of the neck
nueva, news; young vine-shoot
nuez, nut
nutria, otter
nutrido, plentiful

obcecado, obdurate, blind
obcecarse, to be blinded
oblicuo, bending, slanting
obra, work
obrada, land measure
obstante: no —, however
obstinarse, to insist
ocio, idleness
ocre, ochre, yellow
ocultar, to hide
ocurrir, to happen; to be wrong
  with; **ocurrírsele,** to occur to
  one
odiar, to hate
oficio, job, trade
ofrecer, to offer
oído, ear, hearing; (*p.p.*) heard
ojal, hole
ojeroso, haggard, with rings
  under one's eyes
ojo, eye; watch out!; **a —s vistas,**
  visibly; **pegar —,** to close an
  eye; **— de gallo,** *see* "cyclonium"
oleada, wave
oler (a), to smell (of)
olfatear, to sniff
olfato, sense of smell
olisquear, to scent, sniff
olor, smell
onda, wave
ondear, to wave

ondulación, undulation (*of
  country*)
ondular, to billow
opacidad, opaqueness
opaco, opaque
oponer, to oppose; to put up
oportuno, appropriate
oprimir, to squeeze
oquedad, cavity, hollow
ora . . . ora, now . . . then
oración, prayer
ordenar, to order; **ordenadamente,** in an orderly manner
ordeñar, to milk
oreja, ear
oreo, ventilation
orgullo, pride
orgulloso, proud
orilla, riverside
orinar, to urinate
ortiga, nettle
osar, to dare
oscilar, to sway, waver
oscurecer, to become dark
oscuro, dark, gloomy, indistinct
ostentoso, ostentatious
otear, to survey, examine
otoñada, autumn season
otoñal, autumnal
ovacionar, to applaud, give an
  ovation
oveja, sheep
ovillarse, to curl up
ovillo, ball; **hecho un —,** curled
  up
oxear, to shoo

paja, straw
pajar, straw-loft; straw-rick
pájaro, bird
pajarraco, big ugly bird

pajero, straw-loft
pajonal, place full of straw
pajote (*m.*), straw beds
pala, shovel
palabrota, curse-word
paletada, shovelful
paletilla, shoulder-blade
palidez, paleness
pálido, pale
palillo, drum-stick
palitroque (*m.*), rough stick
palmar, to have had it
palmear, to clap; to tap
palmotear, to clap
palo, wooden handle; stick;
    matar a —s, to beat to death;
    de —, wooden
paloma, pigeon
palomar, pigeon-house, dovecot
palomero, relating to pigeons
palpar, to feel, touch
pana, corduroy
panera, granary
pantalones (*m.pl.*), trousers
pantorra, pantorrilla, calf of the
    leg
pañuelo, handkerchief
papada, chin
papel, paper; **jugar un —,**
    desempeñar un —, to play a
    role
par, couple, pair
para con, towards
parado, not busy, unemployed
paraguas (*m.*), umbrella
paramera, bleak place, desert
páramo, moor, wilderness
parar, to stop; **dejar —,** to
    leave alone
parcela, plot
parche (*m.*), drumhead
pardillo, linnet

pardo, earth-coloured, brown,
    grey
pared, wall
pareja, pair, couple; equal
pariente (*m. f.*), relative
parir, to give birth
parlamento, parley
parpadear, to blink
parpadeo, blinking
párpado, eyelid
parra, grapevine
párroco, parish priest
parroquia, parish; parish church
parte (*f.*), part; private part;
    direction; place; share
partícula, particle
particularidad, peculiarity
partida, (*marriage*) certificate;
    gang; game
partido, side
partir, to leave, set out; to
    break in two; **a — de,** from . . .
    on
parto, birth, giving birth
pasada, joke
pasajero, momentary
pasar, to go in, come in; to pass,
    happen, pass off; to spend
    (*time*); to send; to be wrong; to
    wear out; **— de largo,** to
    pass by; **—se,** to be found out;
    to go too far; to pass; **mala**
    pasada, dirty trick
pascuas (*f.pl.*), Christmas
Pascuilla, first Sunday after
    Easter
pasear, to take a walk or ride
pasillo, passage
paso, path, way; footstep; **dar**
    un —, to walk a step; **— a —,**
    step by step; **abrir —,** to
    make way; **a cada —,** often

pastar, to graze
pastilla, cake
pastor, cowherd, shepherd
pata, leg, paw; **—s arriba,** upside down
patada, kick
patata, potato
patear, to stamp the hoof
patio, yard
patoso, bold, smart-checky
patria potestad, patria potestas (*father's rights over family*)
patrón (*m.*), host (*branch*)
paulatino, slow
pausado, slow
payaso, clown; **hacer el —,** to play the clown
paz, peace
peatón (*m.*), pedestrian
pecado, sin
pecho, breast, chest
pechuga, breast
pedazo, bit, piece
pedir, to ask (*for*)
pedrisco, hail-storm
pedrusco, rough stone
pegado, rooted, clinging
pegajoso, sticky, clammy
pegar, to stick; **pegársela,** to deceive, be unfaithful
peinar, to skim; to comb
pelado, bare, treeless
pelaje (*m.*), coat, hair
peldaño, step
pelear, to fight
peligro, danger
peligroso, dangerous
pelo, hair
pelotazo, stroke of a ball
peluca, wig
pelusa, fluff, fuzz
pelliza, cloak, jacket

pellizcar, to pinch
pender, to hang, dangle
pendiente (*f.*), slope
pendulear, to swing, sway
penetrar, to go in
penoso, laborious
peón (*m.*), labourer
peor, worse
perdedero, hare's hiding-place
perder, to lose
perdido, lost, dissolute, good-for-nothing
perdigonada, grape-shot wound
perdiz, partridge
perecer, to perish, die
perezoso, lazy
perfil, profile
perfilar, to show in profile
perifollo, chervil
perla, pearl
permanecer, to remain
pernoctar, to spend the night
perorar, to make a speech
perplejo, perplexed
persecución, pursuit
perseguir, to pursue
persignarse, to make the sign of the Cross
pertinaz, tenacious
pesadilla, nightmare
pesado (de), heavy (with), ponderous, slow
pesar, to weigh, be heavy; **a — de,** in spite of
pescar, to fish
pescuezo, neck
pese a, a pesar de, in spite of
pesebre (*m.*), stall, manger
peso, weight
pespuntear, tap-dance, tapping
pestañear, to blink
pesta, plague

petaca, tobacco pouch
petróleo, oil
pez (*m.*), fish
pezón (*m.*), teat
pezuña, paw, toe
piadoso, pious, holy
piar, to chirp
picado, pricked; pitted
picante, piquant, hot
picaporte (*m.*), door-latch
pícaro, roguish, sly
picaza, magpie
pico, beak, 'gob'
picor, prickling
picotear, to peck
pie (*m.*), foot; **ponerse en —**,
to stand up
piedad, pity
piedra, stone, hail
piedralipe, piedra lipis, blue-
stone, copper sulphate
piel (*f.*), skin, hide
pienso, animals' food
pierna, leg
pieza, game; room; object
pillar, to catch
pimienta, pepper
pimpollo, shoot, sprout
pinabete (*m.*), silver fir
pinar, pine-grove
pincha, pincho, spike
pinchar, to thrust, jab
pinta, pint
pintar, to paint; to do
piñón (*m.*), pine-kernel
pío, pious; **obra pía**, work of
charity
Pirineo, Pyrenees
pisada, footstep
pisar, to step on; **— el terreno**,
to encroach
pisotón (*m.*), stamp of the foot

placer, to please
planear, to soar, fly
plantarse, to stop; to stand
upright
plañidero, mournful
plata, silver
plateado, silver, silvery
plática, conversation
plaza, (*village*) square
plazo, period
plegar, to fold
pleito, lawsuit, dispute; **poner
— a**, to sue
plenilunio, full moon
plenitud, fullness
pleno, full, mid-
pliegue (*m.*), crease, pucker
plomo, lead
plomizo, leaden
pluma, feather
plumaje (*m.*), feathers, plumage
plumero, plume; feather duster
plumón (*m.*), down
pluvial, rain
poblador, inhabitant
poblar, to populate, fill
pocilga, pig-sty
poco, little; **a — (de)**, shortly
(*after*)
poda, pruning
podador, pruner
podar, to prune
poderoso, powerful, wealthy
podrido, rotten
polícromo, polychrome, multi-
coloured
polilla, moth
polvareda, nuisance, rumpus
polvo, dust
pólvora, (*gun-*)powder
polvoriento, dusty
pollada, flock of chickens

pollo, chicken
polluelo, chick
poncho, poncho; greatcoat
poner, to put; to set; to give; to serve; to lay (*a table*); —**se,** to get; to become; to start; to put on; to set (*sun*)
pordiosear, to beg
porfiar, to insist
porquería, dung
porrón (*m.*), glass wine-jar
portar, to carry
portazo, slam of a door
portentoso, prodigious
portezuela, car-door
portón (*m.*), mountain pass
porvenir, future
posa, halt in a funeral
posaderas (*f. pl.*), backside
posar, to lodge, rest; —**se,** to alight
poseer, to possess, own
poseído, possessed (*by the devil*)
poste (*m.*), post
postigo, shutter
postín: de —, fine, swanky
postura, fodder
potencia, strength
potro, shoeing-frame for horses
poyo, stone seat
pozo, well
práctico, skilful, experienced
prado, field, meadow
precavido, cautious
preces (*f. pl.*), prayers
predecir, to forecast
preferente, preferential
pregón (*m.*), public announcement
pregonar, to proclaim
pregonero, crier
prejuicio, prejudice, belief

prejuzgar, to (pre)judge
premura, haste
prender, to light; to grab
preñida, pregnant
preocupación, concern, worry
presa, prey, quarry
presagiar, to presage, forecast
presbítero, priest
prescindir, to get rid
presenciar, to be present, witness
presentarse, to come, appear
presente, present; **tener —,** to bear in mind
presidir, to preside over
prestancia, excellence
prestar, to lend, give
presto, ready, at the ready
presumir, to presume, suspect
pretender, to try; to seek; to want
pretina, belt
prever, to foresee
previo, previous, advance
previsor, foresighted
prieto, dark, blackish
primo, cousin
principio, beginning; principle; **por —,** in general
prisa, hurry; **llevar —,** to be in a hurry
privar, to deprive
probar, to taste; to prove
procrear, to procreate
procurar, to try; to be careful
profesar, to profess, become a nun
prohombre (*m.*), important man
prometer, to promise
prominencia, protuberance, stone jutting out
pronto, soon; **de —,** suddenly
propicio, propitious, favourable

propiedad, naturalness; quality
propinar, to administer, give
propio, –self, own; appropriate, proper
proponer, to propose; **—se,** to put one's mind to
proporcionar, to provide with
propósito, purpose; **a —,** by the way
prorrumpir, to burst out
proseguir, to continue
prosopopeya, prosopopœia; pomp
prosternarse, to prostrate oneself
proteger, to protect
provecho, profit, benefit; use
provenir, to come from
proximidad, surrounding
proyectar, to project
prueba, proof, test
puchero, cooking-pot
pudiente, powerful, rich
pueblo, village
puentecillo, little bridge
puerro, leek
pugnaz, pugnacious
pujar, to bid up (*a price*)
pulga, flea
pulgar, shoot left on vines; thumb; big toe
pulgón (*m.*), green-fly
pulmón (*m.*), lung
puntal, support, prop
puntapié (*m.*), kick
puntazo, jab
punzante, sharp, poignant
puñado, handful
puño, fist
purgarse, to purge oneself
puridad, purity; **en —,** in actual fact

pus, pus
pústula, pustule, pimple

quebrada, break
quebrar, to break
quedar(se con), to keep; to be left, remain; to be
quedo, soft, quiet
quehacer (*m.*), occupation
quejido, whine, moan
quejumbroso, moanful
quemar, to burn
queso, cheese
quilla, keel
quinto, army conscript
quiquiriquí (*m.*), cockcrow
quitar, to take away; to take off
quite (*m.*), guard; **andarse al —,** to watch out

rabilargo, blue magpie
rabo, tail
racheado, gusty
ráfaga, gust, blast
raído, threadbare
raíz, root
ralo, sparse, thin
rama, branch, twig
ramalazo, lash, gust
ramonear, to nibble
rana, frog
rapar, to shave
rapaz (*m.*), young fellow; (*adj.*) rapacious
raposo, fox
raquítico, rickety
ras, level
rascar, to scratch, scrape
rasgado, slit, open
rasgar, to rend, tear

rasguño, scratch
raso, clear
raspa, (*fish*-)bone
raspinegro, black-bearded (*corn*)
rastrear, to follow a trail or scent
rastrero, trailing, creeping
rastro, trace, sign, track
rastrojo, stubble
rata, rat
ratear, to rattle
ratero, rat-catcher
rato, while, long while
ratón (*m.*), mouse
ratonero, buzzard
raudo, rapid
raya, line
rayado, scratched
rayano, bordering
rayo, ray, lightning
razón(*f.*), reason; right; **mandar —, enviar —,** to send word; **darse a —es,** to listen to reason; **con mayor —,** all the more so; **tener —,** to be right
razonamiento, argument
real, real (*4 reales = 1 peseta*); (*adj.*) queen; (royal; golden (*eagle*)
realizar, to carry out
reanudar, to renew, resume
reaparecer, to reappear
rebaño, herd, flock
rebasar, to go beyond, pass
rebotar, to bounce
rebote (*m.*), bounce, rebound
rebozado, battered, splattered
rebozo, muffling; **sin —,** openly
rebrillar, to shine
rebrotar, to sprout anew
rebrote, new shoot
rebullir, to begin to move

rebuznar, to bray
recaer, to fall again; to turn upon
recelar (de), to suspect
recelo, misgiving, suspicion
receloso, suspicious
recién, newly
recipiente (*m.*), receptacle
reclamo, decoy-bird
reclinarse, to lean back
recluir, to seclude
reclutar, to recruit
recobrar, to recover, regain
recodo, corner
recolectar, to gather
recoger, to pick up, collect, gather, take in; **—se,** to retire, go to rest
recorrer, to walk over, traverse; to survey
recortar, to outline
recostarse, to lean; to rest
recrearse, to play
recto, right; straight
recua, drove of beasts
recubrir, cover
recuerdo, memory, thought
recular, to recoil; to give up
recurrir, to resort, turn
rechoncho, chubby
rechistar, to murmur
redil, fold
redimir, to redeem
redondo, round
reducir, to reduce, bring down; to subdue
reflexivo, thoughtful
refrán (*m.*), proverb, saying
refrescar, to get cold
reflexionar, to reflect, consider
refugiarse, to take refuge, retreat
refugio, refuge; home

regadío, irrigation
regalar, to give a present
regañar, to quarrel, scold
regañón, cross, snarling
regar, to irrigate
reglamento, regulation
regazo, lap
regordete, plump, chubby
regresar, to return; de regreso, on the way back, on one's return
rehacerse, to recover
rehuir, to avoid, evade
reinar, to reign
reja, (plough-)share
rejilla, grid
relacionar, to relate; —se, to have contact
relajamiento, relaxation
relajar, to relax
relámpago, lightning flash
relampaguear, to flash
releje (m.), wheel-track
relente (m.), dew
reloj (m.) de pulsera, wrist-watch
reluciente, shiny
remangar, to turn up
rematar, to pay out; to bid
remedar, to imitate
remendar, to patch
remilgo, over-nicety
remiso, remiss, slow
remitir, to subside
remolino, whirl
remontarse, to soar up
renacer, to be born again
rencor, bitterness
rendija, cleft, crack
rendimiento, yield
rendir, to yield; to produce; to pay

renegar de, to curse
renta, rent; income
rentar, to yield; to cost in rent
reparador, refreshing
reparar, to repair; — en, to notice
repartir, to distribute
repasar, to re-examine, survey
repeluzno, chill, repulsion
repente: de —, suddenly
repentino, sudden
repicar, to peal
repiqueteo, pealing; clatter
replicar, to reply
repoblación, reforestation
reposado, quiet, peaceful
reposar, to rest
reprender, to reproach
reprimenda, reprimand
reprimir, to repress, stop, control
réprobo, damned
reptar, to creep, crawl
requemado, sunburnt
resaltar, to rebound; to shine
resbaladizo, slippery
resbalar, to slip
rescatar, to rescue
rescoldo, embers
reseco, very dry, dried up
resentimiento, resentment
resignarse, to resign oneself
resollar, to pant; to sniff
respaldado, leaning back
respetar, to respect; to allow
resplandecer, to glitter, shine
resplandor, light, flash
responso, responsory, prayer for the dead
resquebrajadura, crack, fissure
resquebrajarse, to split
resquicio, crevice

restablecerse, to recover

restallar, to crack, crackle

restante, remaining

restar, to subtract

restregar, to rub, scrape

resuelto, resolved, resolute

resultado (*m.*), result

resurgir, to revive

resucitar, to rise again

retazo, shred

retel, fishing net

retirar, to take away; **—se,** to retreat, retire

retorcer, to wring

retornar, to return

retozón, playful

retrasado, (*mentally*) retarded

retrasar, to delay

retroceder, to go backwards

retumbar, to resound

retumbo, roll; loud voice

reuma (*m.*), rheumatism

reunir, to gather together, meet; to have

reverso, back

reventar, to burst

reverdecer, to grow green again

revestirse, to dress again

revolcarse, to wallow

revolotear, to flutter, flit

revoltijo, mess, mass

revolverse, to turn round

revuelta, turning; curve (*of river*)

rezar, to pray; to say

riachuelo, little river

ribazo, bank

ribera, river bank

riesgo, risk

rigidez, stiffness

rimbombante, resounding; showy

rincón (*m.*), corner

risotada, loud laugh

rizado, curly

robar, to rob

rociar, to sprinkle

rocío, dew

rodado: venir —, to happen in inevitable succession

rodar, to go round; to roll; to go

rodear, to surround

rodilla, knee

roer, to gnaw

rogar, to ask

rogativa, rogation

rojizo, reddish

romería, *religious celebration, gathering at a shrine on a saint's day*

romper, to break (*out*)

roncar, to snore

roncear, to lag

ronco, hoarse

roncha, blotch, welt

rondar, to impend, be around

ronquido, snore

roñoso, miserly, mean

rosado, pink, rosy

rostro, face

roto, broken

rotundidad, positiveness, certainty

rozar, to rub against; to skim

rubio, blond

rudo, surly

rueda, wheel

rugido, bellow

ruido, noise

ruiseñor, nightingale

rumiar, to ruminate, brood over; to mumble

rumor, sound

rutar, to turn round; to murmur

S.M., Su Majestad, Her Majesty

saber, to know, to know how, be able; to taste; **¡qué sé yo!,** I wish I knew!, how do I know?

sabiduría, wisdom, knowledge; **a sabiendas de,** knowing

sabio, wise man, scientist

sabor, taste

sabroso, tasty

sacar, to take out; to get; to make (*profit*); to find

sacavinos (*m.*), vine-shoot

saco, bag

sacudida, jerk

sacudir, to shake; to shake out; to beat; to throw off

sagrado, sacred

sagrario (*m.*), ciborium (*also proper name*)

sajar, to lance

sal, salt

salida, way out, exit

salir, to go out, come out; to turn up, crop up; to proceed; to rise; to bid

salmodiar, to sing monotonously

salpicado, splashed

saltar, to leap (*over*); to snap (*off*); **dar un salto,** to take a jump

salubridad, health; sanitation

salud, health

saludable, salutary

saludar, to salute

salvado, bran

salvaje, wild

salvar, to get through; to save; to survive

salvia, sage (*bot.*)

sangrante, bleeding

sangrar, to bleed

sangre (*f.*), blood

sanguinolento, blood-stained

santiamén (*m.*), jiffy

santiguarse, to make the sign of the Cross

santo, holy, blessed, saint; saint's feast-day, statue; **Todos los Santos,** feast of all Saints (*November 1st*)

santoral, calendar of saints' days

sañudo, furious

sarmentoso, entwining

sarmiento, runner, cutting, vine-shoot

sauce (*m.*), willow

saya, skirt

sayal, gown

secar, to dry

seco, dry; **a secas,** simply

sed, thirst

sediento, thirsty

segar, to mow

seguidamente, next, then

seguido, successive

seguir, to follow, continue

según, according to (*what*); it depends; as

segundas, *second of three bells rung before Mass*

seguridad, security

seguro, sure; **a buen —,** undoubtedly; **de —,** certainly; (*m.*) insurance

selvático, wild

semblante (*m.*), face, expression

sembrado, sown field

sembrar, to sow

semejante, similar

semejar, to resemble

sementera, sowing

semilla, seed

sencillo, simple

senda, path, lane

sendero, path

sensibilidad, sensitivity; emotion

sentado, sitting

sentarse, to sit down

sentido, sense, meaning

sentir, to feel; to hear; to be sorry about

señal (*f.*), sign, signal; — de la cruz, sign of the Cross

señalar, to point (*to*)

señas (*f.pl.*), address; trace

señor, sir; gentleman; Lord

señora, Mrs; lady

sepultar, to bury

sequía, drought

ser (*m.*), being

sera, large basket

sereno, serene

serie (*f.*), number, series

serillo, small bucket(ful)

servicio, service; employment (*see note p.* 33)

servidor, servant

servir (de), to serve (as), be of use

seso, brain

setenta, seventy

si, if; — no, otherwise; — bien, although; un — es no es, slightly

siembra, sowing

sien (*f.*), temple

sierra, saw, saw-mill

siervo, servant

sigiloso, secret, silent

siglo, century

siguiente, following

silbar, to whistle (at)

silbido, whistle

silenciar, to keep silent about

silvestre, wild

simiente (*f.*), seed

simpatía, friendly feeling

simplista, elementary, over-simple

simular, to pretend

sin embargo, however

siniestro, sinister, frightful

sino, but, except

siquiera, even; at least; although

sirvienta, maid-servant

siseo, hissing

sisón (*m.*), bustard

sitio, place, room

sobaco, armpit

sobado, worn out, exhausted

sobrecogedor, terrifying

sobrecogido, speechless

sobresaltarse, to be startled

sobrevenir, to come upon

sobrevolar, to fly over

sobrino, nephew; —s, nieces and nephews

socarrón, cunning

socavar, to wash away, eat away

sofocante, suffocating, stifling

sofocarse, to blush

soga, rope

soleado, sunny

soledad, solitude, loneliness

soler, usually, normally (*with inf.*)

soliviantado, roused, excited

solo, single, alone; a solas, alone; por sí —, by oneself

sólo, tan sólo, only

soltar, to untie, let out, release; to pay out

sollozar, to sob

sombrajo, shade

sombrío, sombre, gloomy, dark

someter, to subject; —se, to submit

sonar (a), to sound, tinkle; to sound good; hacer —, to blow; to ring; —se, to blow one's nose

sonido, wild yellow flower

sonoro, sonorous, pleasant-sounding

sonreír, to smile

sonriente, smiling

sonrisa, smile

sonrosado, pink, blushing

soñoliento, sleepy

soplar, to blow

soplo, breath

sopor, lethargy

sordo, deaf; dull; soundless

sorna, irony; slowness

sorprender, to surprise; to come upon, find

soslayo: de —, sideways

sostener, to sustain, lift, keep, keep up

sotana, soutane, cassock

sotechado, shed

suave, soft, gentle

suavizar, to soften, mellow

subasta, auction

súbito, sudden; de —, suddenly

subrayar, to underline, emphasize

subrepticio, surreptitious

suceder, to follow; to happen

suceso, event, happening

suciedad, dirt

sucio, dirty

sucumbir, to succumb, die

sudeste, Southeast

sudar, to sweat

sudor, sweat

sudoroso, perspiring

suelta: dar — a, to let loose

sueño, sleep; entre —s, in one's sleep

suerte (m.), luck; sort

suficiencia, (self-)sufficiency

sugerir, to suggest

sujetar, to fasten, hold, grip

sujeto, subject; individual; fellow

sumar, to add; to amount to

sumirse, to sink

superficie (f.), surface

superpuesto, put on over

superviviente (m.f.), survivor

súplica, supplication

suplicar, to supplicate, ask

suponer, to mean; to be

supuesto: por —, naturally

surcar, to furrow

surco, furrow

surgir, to arise

suspicacia, mistrust

suspicaz, suspicious

suspirar, to sigh

sustento, sustenance

susurro, whisper

tabla, board

tablero, board, table

tablón (m.), plank

tabuco, hut, hovel

taburete (m.), stool

tajada, slice, sliver

tajar, to chop off

tajo, cut

tajuelo, three-legged stool

tal, such, so; such a one, so-and-so; — vez, maybe; — como, just as if; — cual, the same

talar, to deforest

talón (m.), heel

taller, workshop

tallo, stalk, stem

tamaño, size
tambalearse, to totter
tambor, drum
tamboril, tambourine
tamo, chaff
tan, as; — **sólo,** only
tanto, so much, as much; **otro** — the same thing; **en —,** while; **hasta —,** till then
tañido, toll
tapabocas (*m.*), muffler
tapar, to cover
tapia, wall
taponar, to block, obstruct
tarascada, bite
tardar, to delay
tarde (*f.*), evening; late; — **o temprano,** sooner or later
tardío, late
tarea, task, job
tarifa, tariff, fee
tartajoso, stammering
tartamudear, to stammer
tasar, to give a quota
tasajo, dried meat, charqui
técnico, expert
tejado, roof
tejo, badger
telera, cattle-pen
telilla, membrane, film
temblar, to tremble
temblón, tremulous
temblor, trembling
tembloroso, trembling
temer, to fear
templado, moderate, mild
temple (*m.*), temper
templo, church
temporada, season
tenaz, tenacious
tender, to cast; to lay out; to reach out; **—se,** to lie

tenebroso, dark, black
tensión (*f.*), tension; (*blood-*) pressure
tentar, to touch; to feel
tenue, soft
terciar, to join in; to even
término, district
ternilla, cartilage
ternura, tenderness
terreno, ground
terrón (*m.*), clod, mound of earth
tertulia, social gathering
teso, brow of a hill; rough spot
test, intelligence test
testarudez, stubbornness
testarudo, stubborn
testigo, witness
testuz (*m.*), nape; crown of the head (*of animals*)
tez, complexion, skin
tibieza, lukewarmness, mildness
tibio, lukewarm, mild
tiempo, weather; time, a certain period; **a —,** in time; **en —s,** in times gone by
tienda, shop
tierno, tender
tieso, stiff, straight
tijeras (*f.pl.*), scissors, shears
tiniebla, darkness
tinto, red (*wine*)
tío, uncle; old
tipo, fellow
tira, strip
tiragomas (*m.*), rubber catapult
tirante, taut
tirar, to pull, draw; to throw away; — **de,** to drag out of; to pull
tirón (*m.*), pull, tug
títere (*m.*), puppet
tiznado, stained, spotted

tizonera, heap of burnt wood
toba, sandstone
tocar, to touch; to ring; —se, to sing
tocino, bacon
tolvanera, swirl
tomar, to take; — la palabra, to make a speech
tomillo, thyme
tomo, volume
tonelada, ton
tonificante, strengthening
topar(se) con, to meet, come across
topo, mole
torcaz, wood pigeon
torcer, to turn, twist
torcido, crooked
tordo, thrush
tornar, to return; to do something again; —se, to become; to get
torno: en —, around
torpe, clumsy
torre (f.), (bell-)tower
torvo, grim
tosco, rough, clumsy
tostado, toasted
traer, to bring; to carry; — de cabeza, to drive mad
tragar, to swallow
traje (m.), suit, uniform
trallazo, lash, stroke
tramo, stretch of ground
trampa, trap; llevárselo la —, to fail
trampear, to manage to get along
trancar, atrancar, to bar a door
trance (m.), critical situation
transcurrir, to pass
transido, exhausted
transigir, to compromise

trapo, rag, cloth
tras (de), behind, after
trasera, back, rear; a las —s de, behind one's back
trasero, hind-quarters
traslúcido, translucent
traspié (m.), stumble; dar —s, to stumble
trastear, to play around
trastornar, to upset; to drive mad
tratar (de), to try; to treat; —se, to be a question
través: a —, across, over, through; de —, crosswise
trayectoria, path
trazar, to trace, draw
trecho, stretch, interval
trepar, to climb
trepe (m.), scolding
trifulca, row, quarrel
trigal, wheat-field
trigo, wheat
triguero, fallow finch
trilla, thrashing
trillar, to thrash
trillo, thrashing machine
tripa, entrail
trocar, to change
trocha, short cut
trompicón (m.), stumble
tronar, to thunder
tronco, trunk
tronzado, broken in pieces
tropezar, to hit against; to meet; to trip
trotecillo, little trot
trueno, thunder
truncar, to cut off
tuerto, one-eyed
tumba, tomb
tumbarse, to lie down

tumbo, tumble; **dar —s,** to tumble

tunante (*m.*), blackguard, ruffian

tupido, close-woven, thick

turbación, embarrassment

turbio, turbid, troubled

turgente, turgid

turón (*m.*), polecat

ubre (*f.*), teat

ufanarse, to boast

último, last; recent; **por —,** finally

ultratumba, beyond the grave

ulular, to howl, screech

umbral, threshold

undécimo, eleventh

unidad, unit

unirse a, to join

untuoso, greasy, sleek

uña de asno, full donkey's gallop

uralita, uralite

urraca, magpie

usar, to use; to wear

uva, grape; **— pasa,** raisin

vaciar, to empty

vacío, empty, void, vacant

vago, vagabond, tramp, rogue; (*adj.*) vague

vagón (*m.*), coach

vaguada, water-course

vaho, vapour

vaivén (*m.*), over and back

vale, agreed!

valer, to be of value, of use, be esteemed; to cost

vanagloriarse, to boast, pride oneself

vano, bay; blank in a wall; **en —,** in vain

vaquero, cowherd

vara, stick; stalk; measure of 2.8 feet

varios, several

vasar, kitchen shelf

vaso, glass

vaya, what . . .!; **— por Dios,** for God's sake

vecindario, population

vecino (*m.*), neighbour, inhabitant; (*adj.*), neighbouring

veda, closed season

vedado, preserved (*of land*), forbidden

vela, candle

velano, down

velar, to sit up (*with*); to watch

velo, veil

veloz, quick, swift

vello, hair

vencedor, winner

vencejo, swift

vencido, overcome; bent

venda, bandage, blindfold

vender, to sell

ventaja, advantage

ventanuco, ugly little window

ver, to see; to watch; **a —,** let's see; you bet!; **vérselas,** to deal

veras, earnest

verdadero, genuine, real

verdeguear, to grow green

verdejo, green (*grapes*)

vereda, track

vergüenza, shame, scandal

verja, railing

versátil, variable

versicolor, varying in colour, variegated

verter, to pour

vertiente (*m. f.*), slope
vespertino, evening
vestido, clothes; dress
vestir, to dress; to wear
vez, time; **rara —,** seldom; **de — en cuando,** from time to time; **una y otra —,** again and again; **a su —,** in turn; **tal —,** perhaps; **otra —,** again; **hacer las veces,** perform the function; **en —,** instead; **cada — más,** more and more
viaje (*m.*), journey
vida: de por —, for life
vidriera, glass window
viento, wind
vientre (*m.*), stomach, womb
viga, rafter
vil, vile, bad
vilano, thistle-down
vinagre (*m.*), vinegar
viña, vineyard
viñedo, vineyard
violáceo, violet
viruela, smallpox
viruta, wood-shaving
visaje (*m.*), grimace
viscoso, viscous
visera, cap-peak
víspera, vigil; day before, evening before
vista, sight; eyes; view; **echar (or poner) la — encima,** to set eyes on
visto, seen, obvious
vivaz, bright
viveza, life
vivo, living; lively, quick
viva(n), Long live . . .!
vocear, to shout, call out
volar, to blow up, blow to

pieces; to fly (*off*)
volcar, to pour; to overturn
voleo, cast in the air
volumen (*m.*), volume
voluntad, (*good*) will
voluntario, volunteer
volver, to turn; to do something again; to return; **—se,** to turn round
voraz, voracious
voz, voice; cry; **dar voces,** to shout; **a — en cuello,** at the top of one's voice; **a media —,** in a whisper
vozarrón (*m.*), strong voice
vuelo, flight; **levantar el —,** to take flight
vuelta, turn; **a la — de,** at the end of; **dar —,** to turn over, turn round; **dar media —,** to turn round; **dar una —,** to take a walk *or* ride
vuelto, turned

yacer, to lie
yacija, bed
yegua, mare
yema, bud; middle of the finger-tip
yerbajo, weed, grass
yermo, barren
yerto, stiff, motionless
yesca, tinder
yeso, chalk

zaguán (*m.*), entrance hall
zalema, playful game or sound
zamarrear, to shake roughly
zampar, to gobble up; to slip away

zanahoria, carrot
zancada, stride
zángano, drone
zanja, trench, grave
zapato, shoe
zaragüelles (*m. pl.*), reed-grass

zarandear, to shake, jerk
zarza, brier, brier-bush
zarzal, brier, brier-patch
zorra, fox; bitch
zurita, stock-dove

50-52
53
54-8.
86: Deather.
87: Alycocil.
88: God.
89: Pain → boy.
91: Deather ◯

122~121
123 bitten puia.

997 58882

100
100 Incident.
107